JULIA EN OT EN EEN CAVIA ALSTUBLIEFT

Voor Job
met dank aan
Anna en Lot
Elle en Erik

Julia en Ot
en een cavia alstublieft

Elle van Lieshout en Erik van Os
Illustraties: Harmen van Straaten

Lemniscaat ❡ Rotterdam

Omslag en illustraties: Harmen van Straaten
© 2006, Elle van Lieshout & Erik van Os
Nederlandse rechten Lemniscaat b.v. Rotterdam 2006
ISBN 90 5637 823 6

Druk: Drukkerij Haasbeek b.v., Alphen aan den Rijn
Bindwerk: Boekbinderij de Ruiter, Zwolle

Dit boek is gedrukt op milieuvriendelijk, chloorvrij gebleekt en verouderings-bestendig papier en geproduceerd in de Benelux waardoor onnodig en milieu-verontreinigend transport is vermeden.

Inhoud

Drie meisjes en drie jongens

'Wanneer krijgen we nou een borstelharige cavia?'
vraagt Julia.
'We hebben Pien toch al!' zucht
mama. 'Dat is al lastig genoeg in
de zomervakantie. Wie wil nou
drie weken een konijn en óók
nog eens een cavia verzorgen als
wij op vakantie zijn?'
'Emma,' zegt Julia.
Mama schudt haar hoofd.
'Emma gaat zelf ook op
vakantie.'
'Of iemand anders uit mijn
klas,' zegt Julia.
Mama zegt niets. Ze bijt op haar
pen en staart naar een leeg vel papier.
'Maar mama...'
'Jahaaaa...'
'Nou zijn we met drie meisjes: jij en ik en Pien. En we
zijn maar met twee jongens: papa en Ot. Dat is niet

eerlijk. We moeten nog een jongetje, een cavia! Dan klopt het. Drie meisjes en drie jongens.'

'Onze tuinkabouter is een jongetje,' mompelt mama, 'dus het klopt precies. En nou wil ik verder schrijven.'

Julia kijkt naar het lege vel papier. Verder schrijven? Mama heeft nog helemaal niks geschreven!

'Waar is papa trouwens?'

'In de keuken,' zegt mama. Julia loopt naar beneden. Papa en Ot poetsen de keuken. Ot sopt de tegeltjes en papa dweilt de vloer.

'Pap, wanneer krijgen we een borstelharige cavia?'

'Of een hond,' zegt Ot.

'Ja, een hond is leuk,' zegt Julia.

'Help, een hond!' Papa laat de dweil vallen en slaat een hand voor zijn ogen. 'Een hond moet je drie keer per dag uitlaten!'

'Of een poes. Een poes is leuk, hè Ot?'

'Geen poes,' roept papa. 'Een poes en Pien? Gaat dat samen, een poes en een konijn? Straks krijgen ze ruzie. Dat is zielig voor Pien.'

Daar heeft papa gelijk in.

'Op tv was een jongetje met een aap,' zegt Julia.

'Leuk voor dat jongetje,' zegt papa.

'We kunnen ook een papegaai nemen en dan leren we hem praten.'

'Een papegaai. Een papegaai in huis.' Papa kijkt erg moeilijk. 'Ik wil geen beesten binnen.' Hij wringt de dweil uit tot er geen druppel meer uit komt. 'Ik wil géén papegaai. En ook geen hond, en geen poes en geen aap. En ook geen varken of een krokodil.'

'Jammer,' zegt Ot. Hij maakt zijn spons flink nat en begint aan de stoelen.

'De stoelen hoeven niet, hoor Ot. Je hebt hard gewerkt, maar nou is het klaar. Dank u wel voor de fantastische hulp, meneer.' Hij geeft Ot een natte hand.

'Dus een hond mag niet?' zegt Julia.

'Nee.'

'En een poes ook niet?'

'Nee.'

'En een papegaai?'

'Nee! Nee! Nee!'

'Maar papa, dan nemen we toch een borstelharige cavia. Zo eentje als Emma heeft, een zwarte met een wit oortje. Die hoef je niet uit te laten. En een konijn en een cavia kunnen heel goed samen spelen. En de cavia van Emma woont gewoon buiten in de tuin.'

Papa kreunt. 'Ik zal het er weer eens met mama over hebben. Of met Sinterklaas.'

'Maar vind jíj het goed?'

'Eh...' zegt papa.

'Van jou mag het hè, pap?'

'Nou, uhm...'

Julia rent naar boven.

Mama staart niet meer naar haar lege vel papier, maar naar buiten.

'Mama, als het van jou mag, mag het van papa ook.

Mag het dan van jou, die cavia?'

'Nu niet,' zegt mama. 'Ik heb het er wel met papa over.'

'Wanneer mag het dan?'

'Nu niet. Dat is veel te lastig met de zomervakantie en zo…'

'En na de vakantie?'

'Eh…' zegt mama. 'Dat duurt nog zó lang. Weet ik niet.'

'Na de zomervakantie mag het?'

'Dat zeg ik niet,' zegt mama.

Maar Julia is al weg. Met twee treden tegelijk springt ze de trap af.

'Van mama mag het, pap! Na de vakantie.'

'Yes!' zegt Ot.

Jakkes

Het is woensdag, dus Polle is er, Polle van Piet. Piet moet elke woensdag weg en dan past mama op Polle. En Ot ook, want hij is al vijf en Polle pas drie.

Oppassen is zwaar werk. Ot heeft al een duplotoren gemaakt; hij is al door politieagent Polle opgesloten geweest in de gevangenis; Ot en Polle waren al autocoureur; ze hebben al verstoppertje gespeeld en nou zitten ze samen aan tafel.

Ot tekent een kasteel.

Polle krast een kasteel. In een paar krassen is hij klaar.

'Nou een spelletje,' zegt Polle.

Ot vindt dat mama nu maar weer op moet passen, want Ot is nog lang niet klaar met zijn kasteel, hij begint net aan de tweede toren.

Maar mama is nog lang niet klaar met haar bloemen. Er is pas één vaas met bloemen klaar en in de tweede vaas staat pas één bloem.

'Ik moet poepen,' zegt Polle. Hij glijdt van zijn stoel en loopt naar de wc.

'Kun je het zelf?' vraagt mama.

'Tuurlijk,' zegt Polle.

'Roep maar als je klaar bent.'

Ot tekent verder aan zijn tweede toren. Mama zet haar tweede bloem in de vaas.

Polle blijft wel erg lang weg.

'Lukt het, Polle?' roept mama.

'Ja.'

'Kun je al zelf je billen afvegen of moet ik helpen?'

'Hoeft niet.'

Da's knap van Polle, denkt Ot. Dat moet hij zien. Ot legt zijn potlood neer en gaat eens kijken.

De wc-deur staat op groen, dus Ot kan de deur zo opendoen.

Zoiets vies heeft Ot niet vaak gezien.

Polle staat voor de wc. 'Klaar!' Hij sjort zijn broek omhoog. 'Knoop!'

Om Polle heen, op de grond, liggen proppen gebruikt wc-papier. Op de witte wc-bril en de witte tegeltjes zitten bruine vegen. En Polles broek ziet er ook niet al te fris meer uit.

'MAM! MÁHAM!' roept Ot. 'POEP!'

'Doe jij mijn knoop?' vraagt Polle.

13

Ot trekt een vies gezicht. 'Dat doet mama wel. MAM!'
Mama is er al. 'Shit!' Ze zucht eens diep. 'Toch nog niet
helemaal zelf gelukt, zie ik.'
'Nee,' zegt Polle, 'mijn knoop moet nog.'

Mama hurkt neer. 'Die broek zullen we maar even uit-
doen.'
Polle haalt zijn schouders op. Hij vindt het best. Met
zijn vieze vingers pakt hij mama bij haar schouders
vast.
'Poep op je T-shirt!' roept Ot.
'Ajakkes! Ot, maak dat handdoekje eens gauw nat.'

Polle moet in bad. Zijn kleren ook.
Daarna zet mama Polle in zijn schone kleren voor de tv
met een Donald Duck-dvd, trekt zelf een schoon T-shirt
aan en poetst de wc.
Alles is weer helemaal schoon. Ot kleurt zijn kasteel en
mama gaat verder met haar bloemen.
Maar dan rent Polle weer naar de wc. 'Vergeten te plassen,' zegt hij.

Ot kijkt mama aan.

'Kun je het zelf?' vraagt mama.

'Tuurlijk.'

Polle komt snel terug. 'Klaar! Knoop!'

Mama doet Polles knoop vast.

'Heb je je handen gewassen?'

'Nee.'

'Ga maar even terug en was ze maar in de wc.'

'In de wc?' vraagt Polle.

'Ja,' zegt mama, 'niet hier in de keuken.'

'Bij ons moet dat wel,' zegt Polle.

'En hier niet,' zegt mama.

Polle loopt weer terug naar de wc.

Mama kijkt hem na. 'Kun je het zelf? Kun je erbij?'

'Tuurlijk.'

Ot schuift zijn stoel naar achteren. 'Ik ga wel even kijken
of het lukt, mama.'

De wc-deur staat open.

Zoiets geks heeft Ot niet vaak gezien.

Polle staat naast de wc en wast zijn handen in het water
van de wc-pot!

'Oho!' zegt Ot. 'Niet ín de wc, Polle! Bij het kráántje in
de wc!'

'Lukt het?' roept mama.

'Ja hoor,' roept Ot terug. Hij draait het kraantje open en
drukt op het zeeppompje. Hij zorgt ervoor dat Polle
zijn handen goed wast en afdroogt. Zoals het hoort.
Dan droogt Ot met het handdoekje alle druppels van
de vloer en van de wc-bril en hangt het handdoekje
weer netjes terug op het haakje.

Vrolijk loopt Polle terug naar de tv.

'Gelukt?' vraagt mama.

Polle knikt en Ot zucht. Gelukt, maar oppassen is zwaar werk!

Mooi niet

Iedereen is ziek. Papa ligt met hoofdpijn in bed. Mama
voelt zich niet lekker en staat te hoesten onder de dou-
che. Julia ligt met griep op de bank en Ot met buikpijn.
'Mag ik appelsap?' vraagt Ot met een zielig stemmetje.
Hij gaat er op zijn ziekst bij liggen.
Niemand hoort hem.
'Ik wil sap!' roept hij.

'Och Ot, pak zelf even,' roept mama vanuit de badkamer. 'Ik ben ziek.'

Ot zucht. 'Maar je kunt toch wel even sap pakken. Ik ben véél zieker.'

Mama zegt niks.

Ot draait zich om. Op de andere bank ligt Julia te slapen. 'Julia,' zegt Ot.

Julia zegt niks. Ze slaapt.

'Julia!' zegt Ot nog eens. Hij staat op en schudt Julia wakker.

'Wat?' vraagt ze met een slaperige griepstem.

'Wil jij sap voor mij pakken?' Ot kruipt weer onder zijn deken op zijn bank.

Julia doet haar ogen weer dicht. 'Nee.' Ze draait zich om en slaapt verder.

Bah! Niemand wil sap voor Ot inschenken. Dat is toch niet zóveel werk? Misschien kan papa sap pakken. Maar papa ligt boven in bed. Dan moet hij maar even opstaan, want Ot heeft heel, heel erge dorst.

Ot gooit de deken van zich af en sjokt de trap op. Het is donker in de slaapkamer van papa en mama. Zou papa slapen? 'Papa,' zegt Ot. 'Pahap.'

Papa kreunt en draait zich om.

'Pap, ik wil sap.'

Papa houdt zijn hoofd vast. 'O, Ot, asjeblief zeg! Mijn hoofd doet zeer.'

'Ja, maar míjn buik doet zeer,' zegt Ot, 'en ik heb verschrikkelijke dorst.'

'Vraag dan aan mama of ze sap inschenkt.'

'Mama wil niet. Die staat onder de douche.'

'En Julia?'

'Die slaapt.'

'Ik ook!' zegt papa en hij trekt het dekbed over zijn hoofd. 'Pak zelf maar.'

'Maar ik ben ziek,' zegt Ot boos.

Papa kreunt.

Ot gaat beneden weer op de bank liggen en trekt de deken over zich heen. Stom! Niemand die even sap voor hem in wil schenken. Niemand! Maar hij doet het toch ook niet zelf. Mooi niet!

En dat zal Ot hen eens even laten horen. 'Ik wil saaaaaaaaap!'

Geen reactie.

'Heeeeellluuuup!' roept Ot zo hard ie kan.

Er klinkt gestommel op de trap.

Papa kijkt suffig om het hoekje en mama komt druppend aangesjokt.

'Wat is er? Wat is er aan de hand? Waarom gil je zo?'

'Ik wil sap!' zegt Ot.

Papa kijkt Ot vreselijk chagrijnig aan, draait zich om en trekt met een knal de deur achter zich dicht.

'Tjezus!' zegt mama boos. 'Hoe haal je het in je hoofd!' En ze gaat, ook al zo chagrijnig, terug naar de badkamer.

'Ik vraag alleen maar om sap hoor,' mompelt Ot. 'Hoeven ze toch niet meteen zo boos te doen.' Hij loopt naar de koelkast.

'Dan pak ik het zelf wel!'

Zee van der Zee

Mama en Ot zitten bij de apotheek. Mama blijft maar hoesten dus de dokter heeft korreltjes voorgeschreven en nu moeten ze wachten tot die korreltjes klaar zijn.

'Mevrouw van den Boom,' zegt de mevrouw in het witte schort.

Niemand staat op.

'Dat is ook toevallig,' fluistert mama in Ots oor. 'Er heet nóg iemand Van den Boom, net als jij en Julia en papa. Misschien is het wel familie.' Ze bekijken de andere wachtende mevrouwen.

'Die mevrouw met die kroesharen, zou het die zijn?'

'Nee.' Ot schudt zijn hoofd.

'Je zult wel gelijk hebben. Die mevrouw lijkt helemaal niet op papa of op jou of Julia.' Mama bekijkt nu een andere mevrouw. Die ziet er ook niet uit alsof ze familie is.

'De medicijnen voor mevrouw van den Boom,' zegt de mevrouw met het witte schort nog eens.

Alle mensen kijken elkaar vragend aan met een wie-zou-toch-die-mevrouw-van-den-Boom-zijn?-gezicht.

Nóg harder en nóg langzamer vraagt de mevrouw met het witte schort nu: 'Is mevrouw van den Boom aanwezig?'

'O,' zegt mama. Ze springt op en begint meteen flink te hoesten. Met een knalrood hoofd zegt ze tegen Ot: 'O jee, ze bedoelt mij natuurlijk!' Kuchend loopt ze naar de balie.

Alle wachtende mensen kijken naar mama met een tjonge-jonge-mevrouw-van-den-Boom-dat-werd-tijd-gezicht.

'Die zijn voor mijhij, mahaar zo heet ik niehiet,' hoest mama eruit.

'Heet u nu wel of niet Van den Boom?' vraagt de mevrouw poeslief.

'Uhm,' zegt mama, 'jawel.' Snel neemt ze het zakje met medicijnen aan en trekt Ot mee naar buiten.

'Oho, mama!' zegt Ot. 'Jij heet geen Van den Boom. Jij heet toch Mulckhuijse aan de achterkant?'

'Zo is dat,' zegt mama, 'en Anna aan de voorkant. Anna Mulckhuijse.'

Ot knikt. 'En ík heet Ot. Ot van den Boom. En Julia heet Julia van den Boom. En papa heet papa van den Boom.'

'Ja,' zegt mama, 'of Jan van den Boom. Kan ook.'

'Ja,' zegt Ot. 'En Pien? Hoe heet die?'

Mama houdt de deur van de auto open. 'Konijnen hebben geen achternaam.'

Ot klikt zijn gordel vast. 'En heksen? Hebben heksen een achternaam?'

'Weet ik niet,' zegt mama. 'Trouwens, nee. Heksen bestaan niet, Ot. En als je niet bestaat heb je ook geen achternaam.'

'En boeven dan?' vraagt Ot.

Mama start de auto en rijdt weg. 'Boeven wel. Die hebben allemaal een achternaam.'

'Hoe heten die dan?'

'Ja gewoon, zoals iedereen. Van Os, Van Lieshout, Van Straaten of zo. Of De Wit, net als Polle en Piet.'

'Niet,' zegt Ot.

'Of Van den Boom.'

'Niet,' zegt Ot.

'Echt waar!' zegt mama. Ze begint alweer te hoesten.

'Thuis krijg je van mij een toverdrankje,' zegt Ot. 'In de schuur heb ik er nog eentje. Die is héél goed voor de hoest!'

'Mooi!' hoest mama. 'Maar volgens mij moet ik de stad uit. Ik moet naar zee. Zeelucht is goed voor mijn longen.'

'Heeft de zee een achternaam?' vraagt Ot.

'Nee joh, tuurlijk niet.'

'Ook niet Van der Zee?' vraagt Ot. 'Emma heet wel Van der Zee. Emma van der Zee.'

Mama stopt voor het rode licht. Ze maakt het zakje van de apotheek open, draait het dekseltje van het potje en stopt tien korreltjes in haar mond.

'Zee van der Zee,' zegt mama. 'Dat klinkt wel mooi. Ik moet hoognodig eens een dagje naar zee van der Zee. En de zon heet van Zon van achteren. O wat schijnt zon van Zon toch heerlijk vandaag. Kijk eens, Ot.' Mama wijst naar een grote boom. Het lijkt wel of de boom roze regent.

'Boom van den Boom rehegent rohoze bloesembla-haadjes.' Alwéér begint mama te hoesten.

Achter hen wordt getoeterd.

Mama hoort niks. Ze heeft het te druk met hoesten.

'Hé mama!' Ot duwt met zijn voeten tegen mama's stoel.

'Doorrijden, mama, het is allang groen van de Groen!'

Krentenbollen

Ot en mama zijn net op tijd thuis. Papa en Julia zitten klaar met thee. En Polle is er ook weer.

Op de keukentafel staat een groot bord met boterhammen en krentenbollen.

Mama tikt met haar vinger op Polles neus. 'Dag meneer De Wit, wij hopen dat u lekker zit.'

'Hoi,' grinnikt Polle met zijn bolle wangen vol krentenbol.

Ot gooit zijn jas op de grond, schopt zijn schoenen uit, pakt ook een krentenbol van het bord en neemt er een grote hap uit.

'Nou nou, jíj hebt ook al zo'n honger,' zegt papa. 'Maar ruim eerst even je jas en je schoenen op!'

Vooruit dan.

'Weet je,' zegt Julia. 'Dit zijn geen krentenbollen.'

'O?' zeggen papa en mama tegelijk.

'Het zijn rozijnenbollen.' Julia pulkt een rozijn uit haar bol. 'Kijk! Een rozijn.'

'Dat is toch hetzelfde.' Papa pulkt ook een rozijn uit zijn bol, bekijkt hem en stopt hem in zijn mond.

Polle pulkt gezellig mee.

'Welnee,' zegt mama. 'Een krent is een krent en een rozijn is een rozijn.'

'Je méént het!' Lachend kijkt papa mama aan. Mama geeft hem een stomp. 'Een krent is dus een krent en een rozijn een rozijn. Boeiend! Dat heb ik nooit geweten.'

'Ik wel!' zegt Julia. 'Krenten zijn een sóórt druiven, piepkleine druifjes. En weet je wat rozijnen zijn?'

'Rozijnen,' zegt papa. 'Heb ik net van mama geleerd.'

'Nouhou, pap!' zegt Julia.

'Ik luister,' zegt papa.

'Rozijnen zijn andere druiven, gewone grote, zonder sap dan. Ze zijn gedroogd. De donkere rozijnen zijn van blauwe druiven en de gele rozijnen zijn van witte druiven. Dat was bij het Klokhuis.'

'Dan zal het zeker zo zijn,' zegt papa.

'Het is zo,' zegt Julia.

Polle heeft alle rozijnen uit zijn bol gepeuterd. Hij legt ze op een rijtje en speelt er treintje mee.

Ot zoekt een lekkere boterham. 'Is er geen hagelslag?'

'Nee,' zegt papa. Hij houdt niet van hagelslag dus smeert hij ook nooit boterhammen met hagelslag.

'Wel stom!' zegt Ot.

Papa haalt zijn schouders op. 'Ik ken nog een raadsel!

Het is donkerbruin en het kruipt en glibbert over je boterham. Wat is dat?'
Ot bijt in zijn boterham met pindakaas. Julia en mama
kijken papa aan. 'Nou?'

'Een hagelslak!' zegt papa.

Ot lacht.

'Hagelslak?' lacht Polle. 'Da's gek!'

'Ken ik al,' zegt Julia. 'Ik ken een veel leukere. Er zit een olifant in een boom. Hoe komt-ie eruit?'

'Hij springt,' zegt Ot.

'Hij springt,' zegt Polle.

'Nee!'

'De brandweer haalt hem eruit.'

'Nee, ook niet!'

'Maar dat kán wel,' zegt Ot.

'Maar dat ís niet zo,' zucht Julia.

'Maar het kán wel.' Polle kijkt Ot aan.

Ot neemt nog maar een hap van zijn boterham.

Polle plakt nog een paar rozijntjes aan elkaar. Zo, alweer een wagonnetje aan zijn rozijnentrein. Nu is-ie klaar! Polle veegt zijn plakvingers af aan zijn broek.

Julia kijkt papa en mama aan. 'Nou, hoe komt die olifant uit de boom?' Papa en mama weten het niet; ze wachten op antwoord.

'De olifant gaat op een blaadje zitten en dan wacht-ie tot het herfst wordt.' Julia ligt dubbel.

'Hè?' Ot snapt het niet. 'Een olifant is toch veel te zwaar voor een blaadje.'

'Een olifant is heel dik,' zegt Polle. 'Ik heb een olifant gezien. In de dierentuin. Een dikke!'

Julia is meteen uitgelachen. 'Oho, jullie snappen ook niks.'

'Wel!' zegt Ot.

'Wel!' zegt Polle.

'Niet!' zegt Julia. 'Het is toch gewoon voor de grap. Snap dat dan!'

Daar is Ot even stil van. Hij vindt die van die hagelslak veel leuker.

'Iemand de laatste krentenbol?' vraagt papa.

'Rozijnenbol!' zegt Julia.

Papa zucht. 'Wat maakt het uit.'

'Maar,' begint Julia weer, 'het ís een rozijnenbol. Er zitten geen krenten in dus het ís een…'

'Nou is het wel genoeg, Julia,' zegt mama.

'Ik denk,' zegt Ot, 'ik denk dat krenten gewoon een soort achternaam is van rozijnen.'

Nou, dáár is Julia even stil van.

Polle steekt zijn handen in de lucht. Mama maakt ze schoon met een washandje.

'Eet jij die rozijnen niet meer op, Polle?' Ze wijst naar de sliert rozijnen op tafel.

'Rozijnen?' vraagt Polle.

Mama moppert. 'Oké dan! Krenten! Wat maakt mij het uit!'

'Nee!' roept Polle. 'Het is een trein!'

En één voor één stopt hij de wagonnetjes in zijn mond.

Geheim

Ot komt de klas uit. Hij klemt een
grote envelop tegen zich aan. 'Ik heb
een cadeautje voor jou gemaakt.'
'Leuk,' zegt mama. Ze loopt met
hem mee naar buiten. 'En wanneer
krijg ik dat?'
'Met moederdag natuurlijk!' zegt
Ot. 'Weet je wat het is? Een tekening
van een heleboel fonteinen en de
lucht, en de zon, en bloemen.'
'Lijkt me prachtig!' zegt mama.
Ot knikt.
'Mag ik hem zien?'
'Natuurlijk niet,' zegt Ot. 'Het is geheim!'
'O ja, stom,' zegt mama.
Ze houdt de deur open voor Ot.
'En weet je wat er nog meer in zit?' Ot kijkt erg ge-
heimzinnig.
'Nou?'
'Een versje. En ik ken het al helemaal uit mijn hoofd.

Het gaat zo:

Lieve mama,
Als het aan mijn moeder lag
was het altijd moederdag.
Ontbijt op bed,
bloemen erbij.
Een kusje van papa,
twee kusjes van mij.

Trots kijkt Ot mama aan. 'Leuk hè?'
'Heel leuk!' zegt mama. Ze draait zich om naar de buitendeur.
Julia komt naar buiten gerend. 'Mag ik vandaag bij Emma?'
Mama vindt het goed, maar dan moeten ze wel op Emma's vader wachten. Ze weet niet of het kan bij Emma. Haar vader is altijd erg laat, dus gaan ze met zijn allen maar even op het bankje onder de boom zitten.
'Wat heb jij?' Julia wijst naar de envelop.
'Een cadeautje voor moederdag,' zegt Ot.
'Ssst!' Julia en Emma kijken Ot streng aan. 'Kom eens!'
Ze nemen Ot mee, op veilige afstand van mama.

Dan fluistert Julia: 'Dat moet je niet zeggen, Ot, dat is geheim!'

Dat weet Ot. Dat heeft juf Sanne al gezegd.

'Als je thuiskomt,' gaat Julia verder, 'dan moet je de envelop verstoppen. Goed?'

Ot knikt.

'Onder je bed of zo,' zegt Emma.

'Nee, je moet echt een goed plekje zoeken,' zegt Julia.

'Onder je dekbed.'

Emma trekt een raar gezicht. 'Ja, dat slaapt nogal lekker.'

'Nou ja, je moet het gewoon goed verstoppen. Oké?'
Ot vindt het oké.

Daar is de vader van Emma. Het kan! Julia gaat met Emma mee.

Mama en Ot lopen samen naar huis.

'Mama?' zegt Ot. Hij geeft mama de envelop.

'Wil jij deze thuis verstoppen? Niet onder jullie bed of zo. Echt op een heel goed plekje.'

'Doe ik,' zegt mama. 'Op het beste plekje dat er is!'

'Tegen niemand zeggen, hè mama. Ook niet tegen papa.'

'Ik zeg niks,' zegt mama. 'Krik krak, mond op slot!'

'Mooi,' zegt Ot.

Kaarsjes

Het is al laat. Ze hebben allang gegeten en eigenlijk moeten Julia en Ot in bad en naar bed, maar tóch gaan ze nog weg, want het is mei.

Mei is leuk en mei is lekker. Mei is de Mariamaand en dan staan er altijd snoepkraampjes bij het kapelletje.

Julia, Ot en mama zetten hun fietsen in de stalling en lopen over het grindpaadje, door het parkje, naar het kapelletje.

Het is er erg druk. Op de bankjes in het parkje zitten een heleboel oude mensen. En bij de snoepkraampjes staat het vol met kinderen.

Ot rent al naar een kraampje.

'Wacht even,' zegt mama. 'Ik wil eerst binnen gaan kijken.'

Julia en Ot zijn al vaak bij de snoepkraampjes geweest maar nog nooit ín het kapelletje.

'Kom!' Mama neemt Ot bij de hand. 'Heel stil zijn!'

'Waarom?' vraagt Ot.

'Omdat er mensen willen bidden,' zegt mama.

'Moeten wij ook bidden?' vraagt Julia.

'Nee hoor.' Mama duwt de deur open. 'Maar het mág natuurlijk wel,' fluistert ze.

In het kapelletje is het donker, maar voorin staan wel honderd brandende kaarsjes bij een beeld van Maria, een mevrouw in een blauwe mantel.

Mama, Julia en Ot lopen naar voren. Mama doet geld in een bakje, pakt een kaarsje, steekt het aan aan een ander brandend kaarsje en zet het voorzichtig in een rekje bij Maria.

'Waarom doe je dat?' fluistert Julia.

'Dan is er wat meer licht,' zegt mama.

'Mag ik ook?' Ot trekt aan mama's mouw.

Mama doet nóg twee muntjes in het bakje en Ot mag ook een kaarsje pakken en aansteken.

Hij zet zijn kaarsje helemaal bovenaan in het rekje zodat iedereen het goed kan zien. Julia zet haar kaarsje ernaast.

'Mag ik nou een wens doen?' vraagt Ot.

'Dat mag altijd!' zegt mama.

'Je moet iets vragen aan God,' fluistert Julia in Ots oor. 'Bijvoorbeeld of hij een vriendje voor Pien wil sturen, bijvoorbeeld een borstelharige cavia of zo. En dan zeg je op het einde: Amen.'

'Weet God dan waar wij wonen?' vraagt Ot.

'God weet alles!' zegt Julia.

Ot wenst zijn wens en zegt dan: 'Amen.'

'Kom!' zegt mama, ze loopt naar de uitgang en houdt de deur open. Julia en Ot knipperen met hun ogen. Wat een licht, buiten!

Mama geeft Ot en Julia ieder een euro.

'Jullie mogen zeven dingen uitkiezen,' zegt ze als ze voor een snoepkraampje staan.

Tjonge, wat ingewikkeld! Ot wil alles. Er zijn lollies, dropveters, dropsleutels, dropmatjes, dropstaven en snoeppapier en spekken, gewone en gekke.

Julia heeft allang gekozen. Een meneer doet al het

snoep voor haar in een zakje. Dat ziet er lekker uit.
'En jij?' vraagt de meneer aan Ot. 'Weet jij het al?'
'Hetzelfde als Julia.'
Naast hem staat Merel uit groep zeven, met een vrien-
din. Merel koopt ook snoep. 'Hoi!' zegt ze tegen Ot en
Julia.
'Heb jij ook een kaarsje aangestoken?' vraagt Ot. 'En
iets gevraagd aan God?'
'Ikke niet!' zegt Merel. 'Ik bid nooit.'
'Waarom niet?' vraagt Julia.
'Ik ga écht niet bidden,' zegt Merel. 'Straks bestaat God
niet eens, dan heb ik al die moeite voor niks gedaan.'

'Ik heb wél iets gevraagd aan God,' zegt Ot. 'Of ik heel veel snoep mocht! Kijk!' Trots laat Ot zijn zakje zien. 'Wel boffen!' zegt Merel en lachend loopt ze weg met haar vriendin.

Ot bekijkt zijn zakje met snoep. Welke zal hij het eerst opeten? De dropsleutel, de knots of het schuimblok? De aardbeispek, de kauwgombal, de zuurstok of de salmiak?

De knots!

Wij wel

'Wij mogen altijd cola,' zegt Polle.

'Wij niet.' Julia schenkt sap in.

'Maar wij wel.'

'Appelsap of sinaasappelsap, wat wil je?'

'Goed,' zegt Polle.

Julia kijkt in de koelkast. 'Of liever melk?'

'Wil ik wel.'

'Jahaa,' lacht Julia, 'wat wil je nou?'

'Cola,' zegt Polle.

'Oho!' Julia schenkt een beker appelsap in en zet het voor Polle neer.

Polle vindt het best en neemt een grote slok. De helft gaat in zijn mond, de andere helft druppelt van zijn kin over zijn T-shirt. Hij laat een boer en zegt: 'Wij mogen altijd een snoepje bij de cola.'

Julia kijkt hem schuin aan. 'Wij niet.'

'Wij wel.'

Julia drinkt haar glas in één teug leeg en zet het op het aanrecht. 'Ik ga buiten spelen. Ga jij maar lekker memory-en met mama. Mam! Polle wil spelen.'

Bam. Deur dicht. Weg is Julia.

Mama komt binnen. Polle neemt stilletjes een slokje.

'Wij mogen altijd een snoepje,' mompelt hij.

'Wij ook,' zegt mama, 'maar niet nu. Ná het eten krijg je een dropje.'

'Ik wil naar huis,' zegt Polle. Hij glijdt van zijn stoel af en loopt naar zijn jas.

'Piet is niet thuis, Polle. Die moet werken. Vanavond komt hij jou weer ophalen. Na het eten.'

Polle draait zich om. 'Gaan we nou eten?'

'Straks. We gaan nou memory-en.' Mama hangt Polles jas weer aan de kapstok.

Ze spelen drie spelletjes. Polle wint elke keer. Ze beginnen net aan het vierde spelletje als Julia weer binnenkomt.

'Ik doe mee,' zegt ze.

'Mooi,' zegt mama. 'Ga maar op mijn plek zitten, dan kan ik gaan koken.'

'Nee,' zegt Julia. 'Jij moet ook meedoen, anders is er niks aan. Polle snapt er niks van. Hij laat alle kaartjes met het plaatje naar boven liggen.'

'Kijk!' zegt Polle. Trots laat hij twee dezelfde kaartjes zien.

'Julia, toe nou. Speel nou even mee.'

43

'Nee, ik ga weer naar buiten.'

'Hè, neem Polle dan mee naar de zandbak.'

Julia trekt een zuur gezicht.

'Kom op, dan kan ik koken.'

Julia twijfelt. 'Pannenkoeken?' vraagt ze.

Mama twijfelt.

'Anders pas ik niet op Polle.'

'Oké, jij wint,' zegt mama een beetje boos.

'Kom maar mee, Polle,' zegt Julia met een lief stemmetje. Ze neemt hem mee naar de zandbak. 'Zullen we zandtaartjes bakken? Appeltaart of kersentaart of…'

'Wij maken altijd een Formule 1 racebaan in de zandbak.'

'O,' zegt Julia verbaasd. 'Nou, wij niet.'

'Wij wel,' zegt Polle.

Tijdens het toetje steekt Polle zijn wijsvinger de lucht in. 'Hoor! De Citroën DS uit 1973. Papa!' Hij laat zijn lepel vallen en rent naar de deur.

Het is inderdaad Piet en hij heeft haast. 'Ahoi kapitein!'

Piet bekijkt Polle. 'Die stroop en die yoghurt op je mond staan je best goed. Dat laten we zitten. Kom op, Polle, jas aan.'

'Ik krijg nog een dropje,' zegt Polle.

'Welnee,' zegt Piet. 'Je hebt net gegeten! Je krijgt toch geen dropje na het eten.'

'Wij wel,' zeggen Julia en Ot.

'Ja,' zegt Polle, 'wij wel.'

O jee!

De kraan in de badkamer lekt. Mama heeft hem er al een keer afgehaald en weer teruggehangen, maar hij lekt nog steeds. Nu gaat papa het proberen.
'O jee!' zegt mama.
'Wat?' vraagt papa.
'Niks,' zegt mama maar ze kijkt nogal moeilijk.
Fluitend loopt papa naar de schuur.
Ot loopt achter papa aan. 'Ik ga helpen.'

Papa ziet eruit als een echte werkman. Zijn broekzakken puilen uit van de schroevendraaiers. Op de badkamervloer ligt nog meer gereedschap.
'Tang!' zegt papa.
Ot zoekt een tang en geeft hem aan.
Papa draait een moer los. Ot legt hem in de wastafel. Nu probeert papa de volgende moer los te draaien, maar de tang schiet eraf.
Ot buigt zich over de kraan. 'Zal ik het even doen?'
'Nee!' zegt papa.
'Maar ik kan goed schroeven, hoor.'

'Nee, zeg ik toch.' Papa humt wat en probeert het nog eens, maar de moer zit muurvast. 'Flutding, rottang!' Ot geeft een andere tang aan papa. 'Dit is een goeie, papa. Die gebruikt mama ook.'

'Nee, die past al helemaal niet!'

'Maar mama...' probeert Ot.

'Ik ben mama niet,' zegt papa. Hij mompelt nog wat en loopt weer naar beneden, naar de schuur. Nu fluit hij niet meer.

Papa komt terug met een handvol sleutels. Maar ook de sleutels passen niet. 'Zul je altijd zien! Nét niet de goeie! Opzij, Ot! Laat me even alleen.'

Nou moe! Ot gaat maar naar beneden, naar mama en Julia.

Boven horen ze papa vloeken.

'O jee,' zegt mama.

Dan komt papa de trap af gestampt.

'Lukt het niet?' vraagt mama voorzichtig.

'Nee!' roept papa.

'O!' roept mama terug. 'Ik ben niet doof.'

Julia schiet in de lach.

'Ach, vlieg op!' zegt papa.

'Als ik jou was ging ik een eindje fietsen,' zegt mama.

Papa knalt de deur van de gang dicht en komt terug
met zijn jas aan.
'Waar ga je heen?' vraagt Ot.
'Zo'n stomme sleutel halen!' Papa's hoofd is helemaal
rood geworden. Hij schreeuwt: 'Ik ben naar de winkel.'
'O,' zegt Ot. 'Nou, daar zal die winkel blij mee zijn.'
Mama schiet in de lach.
Papa kijkt verbaasd. Even lijkt het of hij gaat lachen
maar dan besluit hij toch om chagrijnig te blijven.
Knal! De voordeur is dicht en papa is weg.

Papa heeft de goede sleutel gekocht, maar een goed humeur was blijkbaar niet te koop. Hij stampt de trap op.

'Oei, oei!' Mama kijkt moeilijk.

Geknal en geknetter van boven.

'Wegwezen!'

'Zullen wíj een eindje gaan fietsen?' vraagt Julia.

'Fantastisch plan!' Mama rent naar de jassen. 'Kom op, Ot! We gaan een ijsje kopen.'

'Ja, bij de Australiër,' zegt Julia. 'Ik wil citroen.'

'En ik mokka,' zegt Ot.

Drie keer niks!

'Het is de hoogste tijd dat we samen een weekendje weggaan, schat,' zegt Julia.
'Maar wat doen we dan met de kinderen?' vraagt Ot.
'Die gaan logeren, bij Piet en Polle.' Julia geeft Ot een arm en samen lopen ze naar hun kinderen. Aap Tarzan ligt zich te vervelen in de speelgoedkist en beer Ben zit voor het raam.

'Lieve kinderen,' zegt Julia. 'Wij willen jullie iets vertellen.'

'Ja!' zegt Ot.

'Papa en mama gaan een weekendje weg en jullie gaan logeren. Bij Polle en Piet.'

Natuurlijk vinden Tarzan en beer Ben het niks, maar er zit niets anders op.

'Ons besluit staat vast,' zegt mama Julia en papa Ot knikt.

Ze brengen aap Tarzan en beer Ben naar de slaapkamer. 'En hier woonden Polle en Piet,' zegt Julia. 'Kom schat, we moeten gaan. Het vliegtuig vertrekt.'

Ze geven Tarzan en beer Ben een dikke kus. 'Dag lieve schatten, we bellen wel!'

Julia en Ot vliegen door de keuken naar buiten, over het tuinpaadje naar het hekje.

'Hèhè,' zucht Julia. 'We zijn er.'

'Waar waren we?' vraagt Ot.

'Parijs,' zegt Julia.

'En wat doen we nou?'

'Shoppen.' Julia doet het hekje open en trekt Ot mee de moestuin in. 'We gaan allemaal leuke dingen kopen voor de kinderen.'

Ot pakt een takje van de grond, spuugt er een keer op

en poetst het dan schoon met zijn T-shirt. 'Dit was zo-
genaamd een Eiffeltorentje. Zo eentje als jij van papa en
mama hebt gekregen, die op jouw schattenplankje
staat.'
'Leuk,' zegt Julia. 'Dat is echt iets voor beer Ben. Daar
zal hij blij mee zijn.'
Julia plukt een uitgebloeide goudsbloem. 'Kijk!' Ze wijst
naar de zaadjes. 'Die kunnen de kinderen thuis zaaien
in de tuin. Dan hebben ze échte Parijse goudsbloemen.'
'En nu moeten we nog een kaart sturen,' zegt Ot.
Julia zoekt in de moestuin. 'Die hebben ze hier in Parijs
niet,' zucht ze.
'En nu?' vraagt Ot.
'Nu was het al avond en gingen
we in het hotel onze kinderen
bellen.' Ze lopen naar het
glazen huisje in de moes-
tuin en gaan naar binnen.
Julia kijkt rond. 'Wat een
prachtig hotel. En zo lekker licht.' Ze pakt een plastic
bloempotje en houdt dat bij
haar oor. Ze belt naar huis.
'Hallo, kinderen, hoe is het daar?'

53

Even is Julia stil. Ze zucht. 'Die kinderen ook altijd! Ze huilen aan één stuk door. Wat doen we ermee, schat? Blijven we hier of gaan we naar huis?' Julia denkt diep na. 'Weet je, we slapen er een nachtje over.'

'Nee,' zegt Ot en hij pakt het bloempotje over van Julia. Zo hard hij kan roept hij: 'Niet meer huilen hoor! We komen er meteen aan.'

Ze vliegen terug, door de moestuin, het hekje door, over het tuinpaadje naar binnen, naar Tarzan en beer Ben.

'We zijn er weer!' roept Julia al vanaf de trap.

Ze geven de kinderen een kus.

'Zo,' zegt Julia. 'Dat was een lekker weekendje weg. Wel een beetje kort, maar ja, dat heb je met kinderen!'

Ot knikt. Zo is dat.

'Komen jullie wat drinken?' roept mama van beneden.

Julia en Ot zitten aan de keukentafel.

'Luister eens,' zegt mama. 'We hebben het er gisteren al over gehad. Papa en ik willen écht weer een keer een weekendje weg. Dat is voor jullie ook leuk. Dan gaan jullie naar Polle en Piet en die gaan allemaal leuke dingen doen met jullie... naar het veldje, eieren met spek bakken, spelletjes doen, dvd's kijken. Wat vinden jullie daarvan?'

Ot verslikt zich in zijn appelsap.

'Drie keer niks!' zegt Julia.

'Da's héél duidelijk,' zegt mama, 'maar ons besluit…'

'… staat vast,' moppert Julia.

Ot zet zijn lege glas met een klap op tafel en kijkt mama aan. 'We hebben het er nog wel eens over.'

Dorst

'Wat doe jij?' vraagt Polle.

Papa staat te puffen op de trap, met een grote heggen-schaar in zijn handen. De heg wordt steeds lager en kaler en het tuinpad steeds groener. 'De heg moet hoognodig naar de kapper! De takken zijn veel te lang en pieken alle kanten op. Wil je me helpen?'

Polle wel.

'Alle takken moeten op de composthoop.' Papa wijst naar een grote houten bak achter in de tuin.

'Ik help ook mee!' zegt Ot. Hij pakt een harde bezem en veegt alle takken en bladeren op een grote hoop. Hup, de hoop in de kruiwagen, over het tuinpad helemaal naar de composthoop, kruiwagen omkiepen en weer terug.

Drie volle kruiwagens brengen ze weg. Dan rusten ze uit in de schaduw van de appelboom. Van hard werken krijg je het heet.

De appelboom heeft het ook heet. Alle blaadjes hangen slap.

'Kom, we geven de appelboom water! De blaadjes heb-ben dorst.'

Ot en Polle vullen een gieter bij het kraantje.

'Jij mag water geven!' zegt Ot.

Polle sjouwt de volle gieter naar de boom, kijkt omhoog en tilt zijn gieter de lucht in, zo hoog hij kan. Maar Polle kan niet bij de blaadjes. Ze hangen veel te hoog. 'Ik kan er niet bij!' zegt Polle boos. 'Ik moet de trap.' Hij zet zijn gieter neer en rent naar papa.

Polle trekt aan de trap. 'Nu mag ik de trap!'

'Pas op!' Papa kijkt boos naar beneden. 'Je hebt geen trap nodig, Polle.'

'Wel!' zegt Polle. 'Ik móet de trap.'

Maar papa blijft gewoon staan waar hij staat, boven op de trap.

'Welnee! Geef de boom maar gewoon onder bij de stam water.'

'De bóóm moet geen water, de bláádjes!'

Papa zegt niks.

'Sukkel!' roept Polle.

'Tralalalala…' Papa begint keihard te zingen. 'Zei je wat?' vraagt-ie als zijn tralala-liedje uit is.

Polle weet even niet wat hij zeggen moet.

'De stam van de boom is een soort rietje,' zegt papa. 'De blaadjes zuigen aan het rietje. En het water kruipt dan vanzelf naar boven, naar de blaadjes. Zo gaat dat.'

'Niet!' zegt Polle.

'Wel,' zegt Ot. Papa heeft gelijk.

Polle gelooft het niet, maar hij gaat het toch maar proberen. Hij kiept zijn gieter om bij de stam van de appelboom en kijkt naar boven, naar de blaadjes. Zie je wel! Ze hangen nog steeds slap.

'Trouwens!' roept papa. Hij veegt het zweet van zijn voorhoofd. 'Ik heb ook wel zin in water.'

Polle kijkt in de gieter. 'Er zit nog een klein beetje in.'

'Nou, liever in een glas eigenlijk,' zegt papa.

Ot loopt naar binnen en haalt een glas voor papa.

'Hier Polle.' Ot geeft hem het lege glas en gniffelt iets in zijn oor.

Polle giet het water uit de gieter voorzichtig in het glas. Het is net genoeg.

Met het glas loopt Polle naar papa. Die staat alweer druk de heg te knippen, met zijn rug naar Polle en Ot toe.

'Doe maar, Polle,' fluistert Ot.

En dan giet Polle het water in papa's schoenen.

'Hé, wat doe je nou!?' Papa schrikt en valt bijna van de trap.

Ot lacht. 'Polle geeft jouw voeten water. Als je zuigt kruipt het water vanzelf naar boven. Heb je zelf gezegd!'

'Ja,' zegt Polle. 'Heb je zelf gezegd!'

Koning van de Efteling

Het was even zeuren maar vandaag is het zover: Julia en Ot, papa en mama zijn bij de Efteling.

Ot en Julia rennen een plein op en klimmen op een gigantische groene bank. Julia zit op de leuning en Ot neemt plaats in het midden van de grootste bank van de wereld, met zijn neus in de lucht. 'Dames en heren, ik ben de koning van de Efteling.'

'Kom op, we gaan naar het sprookjesbos,' zegt mama. 'Daar dansen elfjes in waterlelies!'

'En er is een heks,' zegt Julia, 'een heel enge.'

Ot komt niet van zijn koningsbank. Hij blijft zitten. Hij hoeft niet naar die heks.

'Kom op, Ot,' zegt papa. 'We gaan. Op de bank zitten kun je thuis ook.'

Ot blijft zitten.

'Wil je Roodkapje niet zien?' vraagt papa.

Ot twijfelt. 'Is de wolf er ook?'

'Tuurlijk,' zegt Julia. 'Die ligt in het bed van oma. En we gaan ook in de wildwaterbaan. Die gaat knoerthard.

59

En in Droomvlucht. Daar is het helemaal donker, met elfjes en trollen.'

Ot hoeft niet zo nodig. Hij zit wel best. Veilig op zijn koningsbank.

Mama kijkt naar de vijver met de roeiboten. Er staat niemand in de rij! 'Zullen we eerst maar gaan roeien?'

Ot klautert meteen van de grote groene bank. Roeien is leuk!

Papa roeit. Ot tuurt in het water naar vissen en Julia baalt. Ze vindt er niks aan, een beetje suffig roeien, dáárvoor is ze niet in de Efteling. 'We gaan wél in Droomvlucht, hoor!'

Na veel geroei en veel gemopper staan ze weer aan wal en slenteren ze verder, langs de speeltuin. Ot rent naar de schuitjesschommel.

'Maar we gingen toch naar Droomvlucht,' zegt Julia, 'naar de elfjes en de trollen.'

Maar Ot schommelt al.

'Héél héél even, Ot,' zegt papa.

Julia stapt in de schuitjesschommel tegenover Ot. 'Klaar!' zegt ze na tien keer schommelen. 'Dat was heel heel even.'

Julia stapt uit, maar Ot blijft zitten. Hij wil niet naar die trollen. Trollen zijn stom.

Mama tilt Ot uit zijn schuitje en neemt hem bij de hand. Ot rukt zich los en klimt snel de trap op van de hoogste glijbaan. 'Hier spreekt de koning van de Efteling,' roept hij van boven. 'Iedereen moet in de speeltuin blijven!'

'Zeg koning,' zegt papa, 'spelen kun je thuis ook. Gratis en voor niets. Ik betaal niet voor niets zo'n hoop geld!'

'Trollen zijn gemeen,' zegt Ot met een bibberig stemmetje.

'Maar voor de Koning van de Efteling rennen ze hard weg,' belooft mama. 'Die durven ze niks te doen.'

Vooruit dan. Ot glijdt van de glijbaan, zo langzaam als hij kan.

Ze moeten lang in de rij maar eindelijk stappen ze het donker in, in de Droomvluchtschuitjes. Julia bij mama en Ot bij papa. Er waait een warme wind en er klinkt elfjesmuziek. In hun schuitjes glijden ze het sprookje binnen. Overal elfjes. Elfjes op de schommel, elfjes bij de hertjes, elfjes bij de waterlelies, elfjes bij de watervallen. Het ruikt zelfs naar elfjes. De elfenkoning zwaait.

'Hé Ot,' roept Julia, 'daar is ook een koning, net als jij.'

Ot ziet hem. Hij kruipt tegen papa aan en zwaait voorzichtig terug.

Dan wordt het nóg donkerder. Het lijkt wel midden in de nacht. Ot kan papa niet eens zien.

'Ot, trollen!' roept Julia.

Ook dat nog! Ot knijpt zijn ogen stijf dicht en kruipt onder papa's jas. 'Ik vind het niet leu-heuk!' snikt-ie.

Papa knoopt zijn jas dicht. 'Zo, verstopt!'

Ot ziet alleen maar donker onder papa's jas. Maar dit donker is lang niet zo dónker. Dit is donzig donker, lekker warm en zacht.

'Wakker worden, Ot, de nachtmerrie is voorbij.'

Ot kijkt voorzichtig door papa's knoopgaten: licht en de geur van warme appelflappen.

Tijd om uit te stappen.

Julia vliegt op papa af. 'Heb je die spookstad gezien? En die rook! En die…?'

'Wij vonden het wel een beetje eng, hè Ot,' zegt papa.

'Mag ik een appelflap?' vraagt Ot.

'Vooruit dan,' zegt mama, 'voor de schrik.'

En dan lopen ze naar het sprookjesbos. Ze moeten een poort door.

Ot slikt. Op de pilaren van de poort ziet hij twee kromme heksen met rode puntmutsen. Die puntmutsen hebben ze vast van kabouters gepikt. En die kabouters hebben ze opgepeuzeld.

Ot durft niet. De tranen rollen alweer over zijn wangen.

'Kijk nou, Ot,' lacht papa. Hij wijst naar de sigarettenpeuk in een heksenmond. 'Ik wist niet dat heksen rookten.'

Julia haalt haar schouders op. Natuurlijk roken heksen. Ze doen alles wat niet mag.

'Van roken ga je hartstikke dood,' zegt ze. 'Van de kanker, hè mama?'

'Nou, eh…' zegt mama.

'En als ze dood zijn moeten ze in een doos en dan stoppen ze de heksen onder de grond.'

Ot wordt er helemaal vrolijk van. 'Stomme heksen!' Hij steekt zijn tong uit. 'Jullie gaan lekker hartstikke doohood.' Gauw loopt hij weg, weg van de heksen, weg van het sprookjesbos.

'Maar wat doen we dan?' Mama zucht ervan.

Ze gaan maar op het grasveld naast de eendenvijver zitten, kunnen ze even nadenken.

Mama eet een appel, Ot zoekt een steentje, Julia vlecht een armbandje van madeliefjes en papa moppert. 'Zitten we dan te zitten. Kunnen we thuis ook!'

Er komen twee eenden aangewaggeld.

'Mama, hebben we nog brood?' Julia zoekt in de rugzak. Ze vindt een paar korstjes en heel veel lege zakjes, papiertjes en pakjes. 'Weet je wat we doen?' Julia verzamelt alle troep in haar handen en broekzakken. Ze is de eenden al vergeten. 'We gaan naar de vuilnisbakken! Die zeggen "papier hier!" en "dankjewel!"'

Ot springt op. Dát lijkt hem wel wat!

'Fantastisch plan,' zegt papa, 'gezellig met zijn allen naar de vuilnisbakken. Je betaalt een hoop geld voor die Efteling hier, maar dan héb je ook iets.'

Ot is het er helemaal mee eens. 'Díe hebben we thuis niet, papa. Onze vuilnisbak zegt niks!'

De kabouterbijbel

'Wij hebben een nieuw boek in de klas, over vroeger,' zegt Julia. Ze gooit haar vest op tafel en ploft neer op een keukenstoel. 'De bijbel.'

'O God,' zegt papa.

'Wat?' vraagt Julia.

Papa houdt zijn mond.

'Keileuk joh! We zijn nou bij Eva. En die is verliefd op Adam. En ze wonen in een heel mooie tuin waar ze alles mogen. Alleen mogen ze niet van de appel eten. Dat mag niet van de slang. En morgen vertelt juf Mieke hoe het verder gaat.'

'Spannend,' zegt papa. Hij pakt twee glazen. 'Volgens mij gaan ze tóch van die appel eten, denk je niet?'

'Maar het mag echt niet, hoor, van die slang.'

'We zullen zien,' zegt papa. Hij schenkt sap in. Appelsap voor Ot en sinaasappelsap voor Julia. 'En hoe was het bij juf Sanne, Ot?'

Ot haalt zijn schouders op. Hij legt vijf steentjes, twee veertjes en een stompje krijt op een rij.

Papa schilt een appel en snijdt hem in partjes.

'Stukje?' vraagt hij.

'Denk jij echt dat Adam en Eva van die appel gaan eten?' vraagt Julia.

Papa neemt een stuk appel. 'Mmm, lekker! Ja, dat denk ik wel.'

Ook Julia neemt een hap appel. 'Misschien houdt Eva helemaal niet van appels. Misschien aten de mensen vroeger helemaal geen appels, papa.'

'Ot, je appel wordt bruin.'

Ot heeft het te druk met zijn vijf steentjes, zijn twee veertjes, het stompje krijt én vijf appelpitjes.

'Ik ga deze zaaien,' zegt Ot. 'Dan krijg ik vijf appelbomen.'

'Ja, leuk!' zegt Julia met haar mond vol appel. 'Dan gaan we de tuin van Adam en Eva namaken. En dan ben ik Eva en jij Adam. En dan gaan we níet van de appel eten hè, Ot?'

Daar moet Ot even over nadenken. Hij neemt een hapje bruine appel en trekt een vies gezicht. 'Goed dan.'

'Zullen we Adam en Eva-tje spelen?' Julia trekt haar kleren uit. 'Je moet je uitkleden, Ot. Dat hoort zo, in de bijbel. Vroeger hadden de mensen nog geen kleren. Ze liepen allemaal in hun blootje. Kleren kwamen pas veel later.'

'O,' zegt Ot. Hij gooit zijn T-shirt en zijn broek op de grond. 'En van wie kregen de mensen dan kleren?'

'Van God natuurlijk,' zucht Julia. 'Eerst was er alleen maar God, en die maakte de wereld en de fabrieken en toen kwamen er allemaal spullen; kleren en zo, en huizen, en...'

'K'nex,' zegt Ot.

Julia knikt. 'Dat ook. Kom! Wij gaan naar de tuin.' Ze trekt Ot mee. 'Pap, speel jij effe slang?'

'Besssssst.' Sissend loopt papa met een mooie glanzend rode appel achter Julia en Ot de tuin in. 'Willen jullie een overheerlijk, frisss, sssmakelijk appeltje?'

'Nee hè, Adam!' zegt Eva.

'Wij lusten geen appel.'

'Ik wel,' zegt Ot.

'Niet, Ot! Dat mag niet in de bijbel.'

'De bijbel?' vraagt Ot.

'Oho!' zucht Julia. 'Adam en Eva zijn toch uit de bijbel. De bijbel is een boek met allemaal mooie verhalen over de mensen, van vroeger. Over, uhm… waar ze woonden en zo en waar ze werkten en wat ze deden, gewoon allemaal verhalen… nou ja, dat snap jij nog niet.'

'Wel!' zegt Ot. 'Ik heb ook een bijbel. Een kabouterbijbel.'

'En die blote kabouter uit de kabouterbijbel is dol op appeltjesss.' Papa houdt een glanzende appel voor Ot zijn mond.

Ot neemt een grote hap uit de appel.

'Ha!' zegt papa. 'Zei ik het niet, Julia! Appels zijn veel te lekker om te laten liggen.'

'Maar Ot snapt het gewoon niet,' moppert Julia.

'Misschien snapten Adam en Eva het ook niet,' zegt papa.

'Wil jij Adam zijn, papa? Dan is Ot de slang. Maar dan moet je je wel uitkleden.'

'Eh,' zegt papa. 'Dat lijkt me niet zo'n goed plan. Straks komt de buurvrouw vragen wat ik in mijn blootje in de tuin doe.'

'Geeft toch niks,' zegt Julia. 'Dan zeggen we gewoon dat we Adam en Eva spelen. En dat hoort in je blootje.'

'Toch maar niet!' Papa loopt naar binnen. Hij heeft
geen zin in zijn blootje.
Julia neemt een appel uit het mandje. Zal ze een hapje
nemen? Nou ja, het mag best. Julia is Eva niet. Niet
echt. Alleen maar even.
Ze neemt een flinke hap uit haar appel.
Lekker!

Geen zin in Ot

Julia, Ot en Emma gooien hun rugzak en hun jas onder de kapstok.

Papa haalt de broodtrommels, bekers, een appelkroos en iets vies kreukeligs wat op een schoolbrief lijkt uit de rugzakken en hangt de jassen op. 'En, hoe ging het vandaag met Adam en Eva?'

'Adam en Eva hebben die appel opgegeten! Stom hè!' zegt Julia.

'Tja,' zegt papa. 'Ik verwachtte al zoiets. En nu?'

Julia en Emma geven geen antwoord. Ze rennen de trap op en verdwijnen naar Julia's kamer.

'Ik ga met Julia en Emma spelen,' zegt Ot.

'Wil je niet met mij samen de stoep vegen?' vraagt papa.

Ot loopt al naar de schuur om een bezem te pakken.

Papa veegt zand, bladeren, hooi, zaagsel en steentjes bij elkaar. Ot vist de steentjes eruit en doet ze in een glazen potje. Papa doet de rest in de container en gaat de schuur opruimen.

Als twee vlinders fladderen Julia en Emma de tuin in.

Ze landen op het grasveld, bij de schommel.

'Mag ik meedoen?' vraagt Ot.

Julia en Emma kijken elkaar aan en schudden tegelijk hun hoofd. 'Nee.'

'Stom,' zegt Ot. Hij doet zand bij de steentjes. Voorzichtig schept hij wat water uit de regenton. Dat moet bij de steentjes. Ot zoekt lang naar een roerstokje. Onder de appelboom vindt hij een takje dat precies lang en sterk genoeg is. Hij roert in zijn potje tot het een mooi zwart drankje is. Klaar! Ot draait het deksel stevig vast en zet het potje op de werkbank in de schuur, naast al zijn andere potjes. Toverdrankjes komen altijd van pas. 'Niet wegdoen hè, papa?' zegt Ot.

'Ik zou niet dúrven,' zegt papa.

Ot slentert naar de schommel.

Julia doet een kunstje aan de rekstok. Met een knalrood hoofd duikelt ze aan één stuk door.

'Ik wil meedoen,' zegt Ot.

Julia zucht en springt van de rekstok.

Nu hangt Emma op haar kop, met haar knieën aan de rekstok.

'Ik wil ook meedoen,' zegt Ot nog eens.

'Laat Ot nou meespelen,' roept papa uit de schuur.

Julia en Emma kijken elkaar zuchtend aan. 'Nou, oké dan.' Maar ze hebben helemaal geen zin in Ot. 'Wat zullen we doen?'

Ot haalt zijn schouders op.

'Wij waren twee mevrouwen,' zegt Julia.

'Ja,' zegt Emma, 'en we gingen samen een avondje uit, naar de film.'

'En ik?' vraagt Ot.

'Jij was ons kindje,' zegt Julia, 'en jij moest naar bed.'

'Ja,' zegt Emma, 'jij moest natuurlijk thuisblijven. Het was een grotemensenfilm. Ga maar liggen, kindje!'

Julia en Emma leggen Ot op de tuinbank. Uit de schuur halen ze de picknickdeken. 'Lekker slapen, kindje. Wij gaan.' Julia en Emma lopen naar binnen.

Ot ligt helemaal niet lekker te slapen. De bank is veel te hard en de film duurt veel te lang. Julia en Emma komen maar niet terug.

Papa is klaar met de schuur en gaat bij Ot op de bank zitten. 'Lig je lekker?'

'Nee,' zegt Ot. 'Maar ik was het kindje. Julia en Emma waren twee mevrouwen. Ze gingen een avondje uit, naar de film. En ik mocht niet mee.'

'O,' zegt papa, 'op die manier.'

'Dan was ik de oppas,' zegt papa. 'En wij gingen allemaal leuke dingen doen, oké? Kom op, kindje, je bed uit. Hoogste tijd om te voetballen!'

Ot springt van de bank. 'Yes!'

Altaimer

Papa en mama zijn een kort weekendje weg, dus Julia en Ot logeren bij Polle en Piet.

En bij Piet mag alles.

Gisteravond mochten Julia en Ot zomaar grotemensenprogramma's kijken op tv en met schoenen op de bank en macaroni met alleen maar kaas, zónder groenten, en naar bed zónder eerst te douchen. En nu mogen Ot en Polle met zijn tweeën buiten gaan spelen, op het veldje voor de flat. Zónder Piet en zonder Julia.

Julia blijft in de hangmat op het balkon hangen met haar paardenboek.

'Zwaaien hè, als je beneden bent,' zegt Piet. 'Zwaai ik terug.'

'Maar als we jou dan niet zien?' vraagt Ot.

'Jullie zien mij wel,' zegt Piet.

Ot vindt het eigenlijk veel te spannend, maar Polle durft wel en Polle is pas drie. Dus Ot gaat ook.

'Fluitje van een cent!' zegt Piet. 'Polle weet de weg, hè Polle?'

'Tuurlijk.' Polle geeft Ot een hand. Ot treuzelt maar

Polle trekt hem mee naar de lift. Hij duwt op precies de goede knoppen want de lift komt meteen en binnen een paar seconden zoeft de lift al naar beneden.

Ot is blij als ze in de hal zijn. Ze rennen om de flat heen naar het paadje.

Polle maakt een toeter van zijn handen en kijkt drie verdiepingen omhoog naar hun balkon. 'Papa! Ahoi!'

'Gezien! Over en uit,' schreeuwt Piet terug.

Dan rennen Polle en Ot het veldje op.

Op het bankje zit meneer de Groot. Hij zit er zoals altijd wat ingezakt bij.

'Dag meneer de Groot.' Polle gaat voor zijn neus staan.
Meneer de Groot kijkt verrast op. 'Met wie heb ik het
genoegen?'
'Polle.'
'Dag Polle,' zegt meneer de Groot. 'Aangenaam kennis
te maken. Wat een prachtige dag is het vandaag, vind je
ook niet?'
'Ik ga in de auto,' zegt Polle en hij rent weg.
Het hoofd van meneer de Groot zakt weer naar bene-
den.
'Wel een vreemde meneer,' zegt Ot.
'Vreemde meneer?' zegt Polle. 'Altaimer.' Hij zit al op
de wiebelauto en wiebelt zo hard dat de auto de grond
raakt. Dan springt-ie er weer vanaf, pakt Ot bij zijn
hand en trekt hem mee naar de volgende wiebelauto.
'Ik mag niet met vreemde meneren praten.' Ot kijkt
over zijn schouder naar het bankje. Meneer de Groot
zit er nog steeds. Het lijkt wel of hij slaapt.
'Wij wel!' zegt Polle. 'Racen in de cabrio? Vrroemm!'
Polle wil alleen maar racen. De glijbaan is een racebaan,
de wip is een racebaan, de zandbak en zelfs het klim-
huisje.
'Zin in eieren?'galmt het over het veldje. Polle kijkt naar
het balkon, naar Piet.

'Ik wil een plat ei!' roept Polle terug. Hij trekt Ot mee naar het bankje. Hij moet, voordat hij naar boven gaat, meneer de Groot nog even gedag zeggen. Dat doet-ie altijd.

Polle gaat naast meneer de Groot op het bankje zitten en legt zijn hand op zijn knie. 'Ik ga naar huis!'

Ot staat te wiebelen voor het bankje. Hij wil weg, weg van meneer de Groot. Misschien is die meneer wel een boef, een boef in gewone mensenkleren met een doodgewone achternaam.

Meneer de Groot schrikt op en kijkt Polle aan. 'Dag jongeman, kennen wij elkaar?'

'Ik ben Polle.'

'Polle? Zeer ongebruikelijke naam. Maar evengoed, prettig je te ontmoeten. Het is me wat, vandaag de dag, met die regering.' Meneer de Groot mompelt wat voor zich uit. Dan kijkt hij Ot aan. 'Hebben wij elkaar al eerder ontmoet?'

'Ik ben Ot,' zegt Ot zacht. 'Kom Polle, we gaan.' Hij trekt Polle aan zijn mouw.

Polle springt van de bank en zwaait naar meneer de Groot. 'Dahag. Ik ga eten. Eieren met spek,' roept hij over zijn schouder.

Gauw loopt Ot achter Polle aan, over het paadje naar

de ingang van de flat. Hij zal blij
zijn als hij weer veilig binnen is.
Meneer de Groot praat in zijn
eentje verder.

Polle drukt op een knop
en het lampje gaat bran-
den, de lift komt en de
deuren gaan open. Polle
drukt weer op een knop. Ot vindt die lift maar eng.
'Op welk nummer wonen jullie?' vraagt Ot als ze bijna
boven zijn.
Polle haalt zijn schouders op. 'Weet ik niet.'
Ot wist het! Het móest ergens fout gaan. En alle huizen
hier zien er precies hetzelfde uit. Nu kunnen ze het huis
van Piet vast niet meer vinden.
De lift stopt. De deur gaat open en Polle rent de galerij
op. 'Daar wonen wij. Bij de Citroëntjes op de venster-
bank.'
Over de galerij lopen ze naar precies de goede flat.

Piet zet zijn brilletje op zijn neus en bekijkt Polle en Ot
van top tot teen. 'Zo heren, jullie zijn nog helemaal
heel. Mooi. Ik zei het toch, makkie!'

Piet verdeelt de eieren met spek over de borden.

'Maar er zat wel een vreemde meneer op het bankje,' zegt Ot.

'O, meneer de Groot zeker. Da's geen vreemde meneer. Hij heeft alzheimer, dan vergeet je van alles.' Piet pakt een fles cola uit de koelkast en vier mokken en loopt naar het balkon. 'Opzij, Julia. Even kijken wie die vreemde meneer is.' Piet kijkt naar beneden. 'Dag meneer de Groot.' Hij schenkt vier mokken cola in.

Meneer de Groot tuurt naar boven. Op zijn dooie gemak staat-ie op en loopt tot onder het balkon.

'Met wie heb ik het genoegen?' zegt meneer de Groot.

'Met Piet van nummer drieëntwintig.'

'Hebben wij elkaar al eerder ontmoet?'

'Niet echt,' zegt Piet, 'aangenaam kennis te maken.'

Meneer de Groot knikt. 'Insgelijks.' Dan wandelt hij weer terug naar zijn bankje.

'Vaag figuur!' zegt Julia.

'Altaimer,' zegt Polle.

Ot knikt. 'Dan vergeet je van alles.'

Piet geeft iedereen een boterham met eieren en spek.

Ot neemt een slokje cola. Raar smaakje! En dat geprik in zijn neus! Ot wil gewoon sap. Maar Piet heeft geen sap. Wel stom, geen sap!

Na het eten kijkt Ot Piet vragend aan.

'We vergeten iets. Weet je wat?'

'Nee,' zegt Piet.

'Altaimer,' zegt Julia.

'Een drópje,' zegt Ot.

Piet schudt zijn hoofd. 'Dat doen we niet. We hebben net gegeten.'

Wel stom! Geen dropje na het eten.

Bij Piet mag ook niks!

Schurft

'Er is iets raars met Pien,' zegt papa. Hij zit geknield voor het konijnenhok. 'Kijk maar eens.'
Julia en Ot zien het. Pien heeft rare plekken, witte plekken zonder haren.
'Dat wordt de dierenarts,' zucht papa. 'Pak maar een kist uit de schuur, dan gaan we meteen. Ik pak de autosleutel.'
Julia pakt een kist en legt wat stro op de bodem. Ze zet Pien erin maar die springt er meteen weer uit. 'Erin Pien!' zegt Julia. 'Je moet naar de dierenarts, anders word je helemaal kaal.'

'Ssst,' zegt Ot. 'Dat moet je niet zeggen. Nou denkt ze dat ze een prik moet.'

Julia haalt haar schouders op en rent de schuur weer in. Ze komt terug met een oud afdruiprek. Dat is een goed deksel, het past precies op de kist. Ze vangen Pien tussen de struiken. Pien in de kist, afdruiprek erop en ze kunnen gaan.

Er zitten al een paar dieren in de wachtkamer van de dierenarts, samen met hun baasjes. Er ligt een poes in een mandje met een mevrouw. Er zit een vogeltje in een kooitje met een grote jongen. Pien moet dus wachten op haar beurt. Het vogeltje mag als eerste naar binnen. Nu komt er ook nog een hond de wachtkamer in, met een verband om zijn poot. Zijn baasje, een oude meneer, kijkt net zo suf voor zich uit als de hond.

De mevrouw van de poes lacht naar Julia en Ot. Ze buigt zich nieuwsgierig naar voren. 'Wat zit er in die kist?' vraagt ze.

'Een krokodil,' zegt papa.

'Echt waar?' schrikt de mevrouw.

'Nee hoor, natuurlijk niet,' zegt papa, 'het is een babynijlpaardje. Haar tanden komen niet goed door. Ze heeft er erg veel last van. Hopelijk heeft de dierenarts er een pilletje voor.'

'O,' zegt de mevrouw. Ze kijkt een beetje raar en aait haar poes maar weer eens.

Ot kijkt eens in de kist. Niks babynijlpaardje, gewoon Pien!

'Oho pap!' fluistert Julia in papa's oor. 'Jij liegt! Dat mag niet hoor!'

Een rat op de schouder van een grote jongen komt de spreekkamer uit en de poes met de mevrouw wordt naar binnen geroepen.

Julia kijkt om zich heen. Overal hangen posters van dieren. 'Hé Ot, moet je zien, dat konijn lijkt op Pien!'

Ot ziet het, maar hij kijkt liever naar de echte Pien. Naast de papieren Pien aan de muur hangt een plaat van een konijn zonder vacht. Een kaal konijn van alleen botjes. Dood dus! Niks aan.

Al snel komt de mevrouw van de poes terug, zonder poes. 'Dag,' zegt ze en kijkt nog eens een keer bedenkelijk naar de kist.

Nu is Pien aan de beurt.

'Wat kan ik voor jullie doen?' vraagt een mevrouw in een witte jas.

Papa zet de kist op een hoge tafel. 'Onze Pien ziet er niet uit!' zegt papa.

De dierenarts haalt Pien uit de kist. 'Dat lijkt me een duidelijk geval van schurft.' Pien sputtert tegen als de mevrouw voorzichtig een paar plukjes haar uit Piens vacht trekt. 'Ik bekijk dit even onder de microscoop.' Ze legt een plukje haar op een glazen plaatje onder een apparaat en knikt.

Ot aait Pien. 'Stil maar, Pien.' Een beetje benauwd kijkt hij naar de dierenarts. 'Moet Pien een prikje?'

'Nee hoor,' zegt de dierenarts.

'Heeft ze kanker?'

'Welnee! Niks aan de hand.' Dan kijkt de dierenarts

naar papa en zegt: 'U moet haar elke dag insmeren met dit middeltje, dan zal het over een paar weken wel weg zijn.' Nu kijkt ze naar Julia en Ot. 'En elke keer als je haar geaaid hebt heel goed je handen wassen!'
Julia en Ot knikken. Ze zetten Pien weer in de kist.
Papa pakt het flesje aan en rekent af.

Ze lopen door de wachtkamer terug naar de uitgang. De suffe hond staat op. De oude man blijft suf zitten. Ot bekijkt de man eens goed. De man heeft ook kale plekken op zijn hoofd, witte plekken zonder haren.
'Zou die meneer ook schurft hebben?' Ot wijst naar de oude man. Die heeft het ineens erg druk met de halsband van zijn hond.
Papa krijgt een rood hoofd en komt niet zo goed uit zijn woorden. 'Eh... schurft, nou, dat denk ik niet. Eh... kom!' Gauw loopt hij naar de deur.
'Maar dat kan toch, dat-ie schurft heeft?' Ot blijft staan voor de meneer. 'Geef niks hoor, meneer,' zegt Ot, 'de dierenarts heeft er een middeltje voor en dan is het over een paar weken wel weg.'

Prinsenjurk

'Mama, de cavia van Emma heeft vier baby'tjes. Heel schattig. Vier, mama, en die zaten allemaal in de buik van de moeder, alle vier tegelijk! En wij mogen er best eentje hebben van Emma.' Julia komt de keuken ingestormd. Ze gooit haar rugzak op de grond, pakt een glas uit de kast, loopt naar de koelkast, schenkt wat sap in en ploft dan neer op een stoel.

'Zo,' zegt mama. 'Ook hallo.'

Julia mompelt wat.

'Vroeger, hè mama, toen zat ik in jouw buik, in mijn eentje.' Ot kijkt mama aan. 'En er zat ook water in jouw buik. Kon ik lekker zwemmen.'

Julia heeft haar sap op. 'Maar ik zat er eerder. En mama, er is ook een wit baby'tje met een zwart oortje. Mogen we die? Want die wou ik.'

Mama neemt een slokje thee. 'Ik weet het niet, Julia. Ik zal het er met papa over hebben. Maar ik beloof niks. Echt niet!'

'Relaxed!' roept Julia.

'Ik beloof niks, hè!'

'Neehee! Weet ik.' Julia pakt een pen van tafel, trekt een krant naar zich toe en geeft een tuttige mevrouw op de voorpagina een snor en een baard.

Ot kijkt dromerig naar mama. 'Ik wil nóg wel een keer in jouw buik zwemmen.'

'Ja, leuk,' lacht Julia. 'Gaan we samen, Ot. En dan nemen we een luchtbed mee… en dan bouwen we een duikplankje.'

Mama bekijkt eerst haar buik en dan Ot. 'Dat gaat niet lukken. Maar we kunnen wel gaan zwemmen. In het zwembad.'

Julia gooit haar pen op tafel en rent de trap op. 'Mag ik mijn nieuwe badpak aan?' roept ze. 'En mijn prinsessenjurk?'

Mama fluit op haar vingers. 'Wauw! Net echt!' Julia draait rondjes en laat haar bloemenjurk zwieren. Ze kijkt als een echte prinses.

Ot staat te treuzelen met zijn hemd en zijn korte broek.

Die Julia, die ziet er mooi uit!

'Ik wil ook een jurk!' zegt Ot.

'O,' zegt mama.

'Oho!' zegt Julia. 'Nee hè!'

Mama helpt Ot in zijn broek. 'Zou ik niet doen, Ot. Van

mij mag het best, maar ik denk dat jij het niet zo leuk
vindt als je op school in een jurk verschijnt en iedereen
je uitlacht.'

'Wel!' zegt Ot.

'Jongens dragen geen jurken,' zegt Julia.

'Stom!' zegt Ot met een pruillip. 'En tóch wil ik een
jurk.'

'Weet je wat,' zegt mama, 'straks als we thuiskomen van
het zwemmen mag jij een jurk van Julia aan. Goed?'

'Maar ik wil zélf een jurk, een zwierjurk.'

'Ik weet iets beters,' zegt mama. 'We kopen een prinsennachtjapon en die kun je elke nacht aan. Een zwiernachtjapon. Kun je elke avond zwieren.'

'Een zwiernachtjapon?' vraagt Ot.

'Een zwiernachtjapon,' zegt mama.

Na het zwemmen rijden ze meteen door naar de stad. Gelukkig kan mama vlak bij het grote warenhuis parkeren. Met de roltrap gaan ze naar de nachtjaponnenafdeling.

Julia wijst naar een roze nachtjapon. 'Die moet je nemen, Ot! Die is leuk.'

'Nee,' zegt Ot. 'Ik wil geen roze nachtjapon. Roze is voor meisjes.'

'Jij wil zeker een blauwe?' lacht mama.

Ot knikt. 'Of een groene of een gele.' Groene en gele zijn er niet, de blauwe zijn op, dus kiest Ot een paarse. Een paarse met paarden én een strik.

Er staat een rij bij de kassa.

Ot houdt zijn paarse nachtjapon voor. Hij komt helemaal tot op de grond. Met toegeknepen ogen bekijkt Julia hem. 'Roze is mooier!' zegt ze heel beslist.

'Roze is stom,' zegt Ot.

'Roze is mijn lievelingskleur,' zegt Julia.

Ot kijkt boos naar Julia. 'Roze is vies!'
Julia kijkt boos naar Ot. 'Roze is lekker!'
Dan is het stil.
Julia wipt wat heen en weer. Nóg een mevrouw met een
hele stapel kleren en pas dan zijn ze aan de beurt.
'Roze is lekker,' zegt Julia, 'want roze koeken zijn lekker.'
Dat is waar.
'En roze zuurstokken van de kermis, die zijn ook lek-
ker.' Trots kijkt Julia Ot aan. 'En roze muisjes.'
'En witte muisjes,' zegt Ot.
Julia zucht. 'Die zijn toch niet roze!!!'

'Maar ze bestaan wel, hoor Julia.'

'Maar de roze zijn lekkerder,' zegt Julia. 'En roze schuimpjes vind ik lekker. En roze spekken vind ik lekker. Roze kokosbrood vind ik lekker. Roze pudding vind ik lekker. Roze ijsjes vind ik lekker.'

'Maar roze friet,' zegt mama, 'roze friet, die lust jij niet!'

De man achter de kassa trekt een vies gezicht.

'En roze mayonaise ook niet,' lacht Ot. Hij legt zijn paarse paardennachtjapon op de toonbank en geeft de man geld.

'Koop jij een mooie nachtjapon voor je zusje?' vraagt de man. Hij vouwt de nachtjapon op en doet hem in een plastic tasje.

'Die is voor mij!' zegt Ot. 'Het is een zwiernachtjapon.'

'Wauw!' zegt de man. 'Zou ik ook wel willen.'

'Dat kan niet.' Ot pakt de plastic tas aan en geeft mama een hand. 'Meneren dragen geen nachtjaponnen.'

Oud-en-nieuwtje

'Ik vind er niks meer aan in de zandbak,' zegt Julia. Er is niemand die haar oliebollen wil kopen, zelfs Polle niet. Hij heeft het veel te druk met zijn zandracebaan. Julia gooit haar oliebol terug in de zandbak en klopt het zand van haar rokje en hemd. Er zit nog zand tussen haar billen. Julia rekt het elastiek van haar onderbroek uit en laat het een paar keer terugknallen, net zo lang tot haar onderbroek zandvrij is.

'Hé Ot,' zegt Julia, 'zullen we oud-en-nieuwtje spelen?'

'Ja!' Ot springt op. Oud-en-nieuwtje is fantastisch! Dan mogen ze tv kijken en drinken ze bubbeltjessap! 'En dan was het nu avond.'

Julia en Ot rennen naar binnen. Polle blijft bij zijn autootjes en zijn zandracebaan.

'Mama, mogen we televisie kijken want we doen oud-en-nieuwtje.'

'Ik was net van plan om het zwembadje in de tuin te zetten.' Mama staat met het opblaaszwembad in haar handen. 'Ga toch lekker buiten spelen. Het is prachtig weer.'

Julia zucht. 'Ja, maar wíj willen oud-en-nieuwtje spelen.'

Ot knikt. 'Mag de tv aan?'

Mama kijkt op de klok. 'Jullie mogen een kwartiertje tv kijken en dan is het tijd om de champagne te ontkurken. En daarna ga je buiten spelen.'

Julia doet de gordijnen dicht. 'Mam, waar is de wollen deken?'

'In de gang, in de kast,' zegt mama.

Julia pakt de deken en zet de tv aan.

Ot haalt Polle uit de zandbak. Die moet ook meedoen. Polle vindt het best.

Met zijn drieën kruipen ze onder de deken op de bank.

'En nu krijgen we warme chocolademelk,' zegt Ot als de tekenfilm is afgelopen.

Mama trekt een vies gezicht. 'Daar heb ik geen zin in.'

'Wij wel,' zegt Julia. 'Dat doen we toch altijd met oud-en-nieuwtje.'

Mama pakt drie glazen diksap met ijsklontjes en zet ze op tafel. 'Zo, dan doen we alsof dit warme chocolademelk is.'

'Met slagroom?' vraagt Ot.

'Ja, dat zie je toch!' zegt mama.

'En?' vraagt Julia met een grotemevrouwenstem. 'Wat vonden jullie van het afgelopen jaar?'

'Warm!' Ot veegt het zweet van zijn voorhoofd.

93

'Warm!' zegt Polle.

'Nouhou, Ot!' zegt Julia. 'Zeg nou! Je hebt nog maar een paar minuten, dan is het twaalf uur.'

Ot kucht. Hij denkt diep na en kijkt erg belangrijk.

'Het was me het jaartje wel vandaag de dag met die rare regering.'

'Zo is dat!' zegt Julia ernstig. 'En jij Polle? Vond jij het een goed jaar?'

Polle heeft het te druk met de tv.

'Polle!' zegt Julia. 'Ik vroeg iets!'

Polle knikt. Trots haalt hij zijn blauwe Citroën Xara Picasso uit zijn broekzak. Een handvol zand verdwijnt tussen de kussens van de bank.

'Ook goed!' zegt Julia. 'En nou ik nog.' Ze denkt na maar geeft het gauw op. Het is veel te heet om na te denken. 'Ik weet niks. Zullen we nu de kaarsen aandoen? Maham! Mam, doe jij de kaarsen?'

Mama komt aanlopen met lucifers.

'Eerst een kaars voor mij want ik heb al een wens voor het nieuwe jaar!' Julia knijpt haar ogen stijf dicht en wenst zo hard als ze kan.

Mama steekt de kaars aan.

'En nu een kaars voor Ot.' Mama strijkt de volgende lucifer af en steekt de tweede kaars aan.

'Heb je al iets gewenst, Ot?' vraagt Julia.

'O, vergeten!' zegt Ot. 'Uhhhm…'

'Cavia,' fluistert Julia in Ot z'n oor.

Gauw knijpt Ot zijn ogen dicht. 'Klaar! Spannend hè?'

En nou nog een kaars voor Polle. Die wens laten ze

maar zitten, daar snapt Polle toch niks van. Samen blazen ze de kaars uit.

'Nou mag je weer naar de keuken,' zegt Julia tegen mama.

'Boffen!' zegt mama.

'Het is al bijna twaalf uur, kinderen,' zegt Julia. 'Tien!' Ze pakt een fles bubbeltjesappelsap uit de kelderkast.

'Negen.' Julia zet de mooiste plastic bekers klaar en frunnikt het goudpapier om de kurk los.

'Acht. Ik doe de kurk. Zeven, zes, vijf, vier, drie, twee…'

'Tien!' roept Polle.

'Oho!' zegt Ot. 'Eén, Polle. Eén!

'Maakt niet uit,' zegt Julia, 'gelukkig nieuwjaar!'

Pang! De kurk knalt tegen het plafond. Het bubbeltjesappelsap bruist de bekers uit. Ot en Julia slurpen het van de tafel. Polle petst met zijn hand in het appelsap en wrijft het uit over het tafelblad.

'Proost!' Ze klinken de bekers tegen elkaar. 'Op een mooi nieuw jaar!'

Ot drinkt de laatste druppel op en zet de tv uit.

'En nou is het de hoogste tijd om naar bed te gaan, kinderen,' zegt Julia.

'Niet,' zegt Ot. 'Ik heb het stikheet. We gaan zwemmen, in de tuin.'

Polle trekt Ot al mee naar buiten.

'O, o, die kinderen ook altijd!' Julia kijkt naar de plakkerige tafel en de lege bekers. Mooi is dat! Laten ze haar met de rotzooi en de afwas zitten. Vooruit dan maar. Zij zal het wel weer opruimen.

'Mam!' roept ze naar de keuken, 'breng even een emmertje sop en een doekje!'

'Maham!!!'

Maar mama brengt niks. Ze zit lekker in het zwembadje, in de tuin.

Niks vergeten

Al dagen loopt mama gestresst door het huis met ka-
potte strandballen, lege batterijen en gebroken elastie-
ken voor de tent. 'Ik moet hoognodig naar de winkel,'
zegt ze. 'Gaan jullie papa maar helpen met de planten
sproeien.'
Als ze alle planten en zichzelf water hebben gegeven
komt mama thuis met een berg boodschappen en twee
nieuwe rugzakken. Een gele voor Julia en een rode voor
Ot.
'Jullie mogen zelf je rugzak inpakken,' zegt mama.
'Yes!' zegt Ot en hij rent met de rugzak naar zijn kamer.
Hup, Tarzan zit al in zijn rugzak. Die moet zéker mee
op vakantie.
Mama komt met een stapeltje zomerkleren aanzetten.
Een zwembroek voor Ot, een badlaken en een paar kor-
te broeken. 'Dit moet er ook in, Ot. Zal ik je helpen?'
Ot schudt zijn hoofd. 'Kan ik zelf wel.'
Met een ander stapeltje loopt mama naar Julia.
Julia pakt haar belangrijkste spullen in. Haar zeemeer-
minnenbarbie past in het voorvakje van de gele rugzak,

samen met een barbieborstel, barbie-elastiekjes, bar-
bielaarsjes en het barbieregenjasje. Het past net. De
knuffel van de kermis gaat in het grote vak. En het stapeltje zomerkleren erbovenop.

Ot is ook druk aan het werk. Hij kiepert zijn treinkist
leeg. De locomotief en de wagons passen precies in de
zijvakjes van zijn rugzak. Alle houten rails, al zijn steentjes en een paar toverdrankjes uit de schuur stopt hij in
de rugzak, boven op Tarzan. Met veel moeite krijgt hij
de rugzak dicht. Alleen het stapeltje kleren past er niet
meer in. Ot doet ze in zijn treinkist. Die is toch leeg.
Onder zijn bed. Klaar.

Met zijn rugzak op loopt Ot naar Julia's kamer. Die is ook
net klaar met proppen. Samen lopen ze naar beneden.

Buiten is mama Piens hok aan het verschonen. Ze legt
er vers stro en hooi in en een flinke wortel.

'En Pien, mama,' zegt Ot, 'die moet ook mee.'

'Piet en Polle passen op Pien. Geef Pien nog maar een
paar dikke knuffels, we gaan zo.'

Ot en Julia knuffelen Pien bijna plat. Pien vindt het niet
zo leuk en knijpt ertussenuit.

'Fijn,' zucht mama, 'mag ik weer gaan vangen.' Ze zet
een bakje schoon water in het hok en haalt Pien uit de
struiken.

'Zo, alles is ingepakt,' zegt papa. 'Jullie rugzakken ook?'
Julia en Ot knikken.
'Dan kunnen we gaan.'
Mama trekt de deur achter zich dicht.
'Echt niks vergeten? Zitten de knuffels in jullie rugzak?
En ook wat speelgoed?'
'Mijn barbie,' zegt Julia.
'En mijn steentjes,' zegt Ot. 'En Tarzan. En de tover-
drankjes. En de trein en toen zat de rugzak vol.'
Mama knikt.
Papa steekt zijn duim omhoog. 'Jij denkt ook werkelijk
óveral aan.'

Stomme kinderen

Op de camping van Julia en Ot zijn veel leuke kinderen. Stomme kinderen zijn er maar twee, maar die staan toevallig wél met hun caravan naast de tent van Julia en Ot. Het stomme meisje heet Priscilla en het stomme jongetje heet Marco. Ze zijn niet zomaar een beetje stom, ze zijn ver-schrik-ke-lijk stom. Ze lachen stom. Ze kijken stom. Hun kleren zijn stom en ze doen nog stom ook. En ze zijn veel te groot.

Julia en Ot leggen een paadje van steentjes van de tent naar de tuintafel en van de tuintafel naar het grote pad. Daar mag papa straks overheen lopen, want die is jarig vandaag.

Priscilla en Marco staan met hun armen over elkaar te kijken. Ze zeggen niks. Ze doen niks. Ze staan alleen maar te staan.

Julia en Ot zijn al bijna bij het grote pad; ze moeten alleen nog even om de auto van Priscilla en Marco heen. Vlak voor Ots neus glimmen twee gymschoenen en een paar broekspijpen. Ot kijkt omhoog.

Marco grijnst omlaag. Hij zegt niks.

'Mogen we er even bij?' vraagt Julia.

'Mogen we er even bij?' zegt Priscilla met een zeurderig stemmetje.

Marco schopt een steentje weg.

'Hé, niet doen,' zegt Julia, 'je maakt het paadje voor papa kapot.'

'Je maakt het paadje voor papa kapot.' Weer die stomme stem van Priscilla.

Ot verstopt zich achter Julia.

Marco schopt nog een paar steentjes weg. Er zit een flink gat in het pad. Hij begint stom te lachen. Priscilla lacht stom mee.

Julia trekt Ot mee. 'Kom Ot, we gaan bloemen plukken,' fluistert ze in Ots oor. Samen rennen ze naar het veldje.

'Bangeschijters!' roept Marco hen na.

'Stommerd!' roept Julia, niet al te hard.

Op het veldje bij de speeltuin plukken ze veertig madeliefjes voor papa, voor elk jaar één. Ze lopen terug naar de tent en vinden in de vuilniszak bij de tent twee toetjesbekers. Ze vullen ze met water en zetten de madeliefjes erin.

Papa komt eraan wandelen. Hij heeft een folder bij de receptie gehaald. 'We gaan de hort op,' roept hij al vanaf het grote pad. 'En ik ben jarig, dus ik mag kiezen!'

'Eerst naar het paadje springen, papa!' roept Ot.

'Eerst naar het paadje springen, papa!' jengelt Priscilla. Ze staat er weer met haar stomme broer.

Papa doet of hij niks hoort en springt gewoon.

Uit de caravan naast hun tent klinkt een mannenstem:
'Priscilla hierkome! Hoe dik hè'k al niej gezeejd gehad
degge die meense van hierneffe meej rust moet laote!'

Priscilla haalt haar schouders op, schopt nog gauw een
steentje weg en slentert naar de caravan. Marco spuugt
op de grond en loopt achter haar aan.

'Wat een prachtige bloemen!' roept papa.

'Weet je hoeveel het er zijn?' vraagt Ot. 'Raad eens!'

'Vijfendertig?'

'Fout!'

'Vierendertig?'

'Nee!'

'Drieëndertig?'

'Nee, nee, nee!'

'Dan weet ik het niet,' zegt papa. 'Ik zal ze maar tellen.'

'Veertig!' roept Ot. 'Voor elk jaar één.'

'Wat een verrassing,' lacht papa. 'En ik heb ook nog een
verrassing. We gaan naar de hoogste berg in de buurt.
Helemaal in de wolken. En daar gaan we taart eten!

En dan heb ik nog een verrassing,' fluistert papa. 'Die
stomme kinderen van hierneffe, die mogen lekker niet
mee!'

Komt door de bergen

Voor ze naar de berg gaan, moeten ze nog langs de winkel. Ot heeft een broek nodig én een T-shirt, want de T-shirts van Julia zijn veel te lang en zijn eigen kleren liggen thuis in de treinkist.

Ze zitten al heel lang in de auto en ze rijden nog steeds bergop.
'Waarom hebben ze de lucht zo hoog gemaakt?' vraagt Ot.
Julia weet het. 'Anders passen de bergen er niet onder.'
Ot knikt. Natuurlijk. Hij duwt zijn neus tegen het glas.
'Wel veel rook hier!'
'Dat is mist,' zegt Julia.
'Ik denk,' zegt Ot, 'dat er heel veel mensen aan het barbecuen zijn in de bergen.'
'We rijden midden in de wolken,' zegt mama. 'Dat is zo in de bergen.'
Ot steekt zijn vingers in zijn oren. Er zitten bellen in zijn hoofd. 'Ik hoor niks.'

'Oho!' zegt Julia. 'Dan moet je je vingers uit je oren halen!'

Mama geeft Ot een kauwgom. Ze neemt er zelf ook een. 'Komt door de bergen, dan klappen je oren dicht. Kauwgom helpt een beetje.'

'Toverdrankjes ook,' zegt Ot.'

Mama knikt.

'We zijn er,' zegt papa. Hij parkeert de auto op een parkeerplaats.

Ze stappen uit.

'IJskoud! Kijk!' Julia wijst naar het kippenvel op haar armen.

'Komt door de bergen,' zegt mama. 'Hoe hoger je komt, hoe kouder het wordt.'

Mama geeft Julia een warme trui en sokken. Ot doet gauw zijn nieuwe T-shirt, zijn nieuwe fleecevest en zijn nieuwe trainingsbroek aan.

'Maar goed dat we nieuwe kleren gekocht hebben, Ot. Die kun je namelijk wel eens nodig hebben op vakantie!' O jee, mama begint weer over Ots kleren.

Ot weet nu onderhand wel dat het dom is om je kleren thuis te laten liggen. Dat heeft mama al honderdduizend keer gezegd. Gauw loopt hij naar papa.

'Daar is de kassa,' zegt papa.

'De kassa,' moppert mama. 'Moet je tegenwoordig ook al voor een berg betalen?'

'Het zal wel voor die trap zijn.' Papa wijst naar een hoge trap in de berg.

'Ik wil zelf betalen,' zegt Julia.

'Ik ook,' zegt Ot.

Papa geeft hun allebei een buitenlands briefje. 'Steek maar één vinger omhoog en geef die man je briefje maar.'

Ot en Julia rennen naar de kassa.

Ot komt maar net met zijn hoofd bij het luikje. Hij legt zijn geld neer en steekt één vinger op.

De man kijkt raar op en zegt iets wat Ot niet verstaat.

'Eén kaartje,' zegt Ot.

De man zegt weer iets.

'Eén kaartje!' roept Ot, zo hard hij kan.

De man geeft twee kaartjes.

'Nee, Julia wil zelf betalen!' Ot neemt één kaartje uit het laatje en schuift het andere terug.

De man kijkt een beetje chagrijnig. Hij zucht en gooit een paar munten in het laatje.

Nu is Julia.

'Eén kaartje alstublieft, mijnheer,' zegt Julia. Ze geeft haar briefje en steekt één vinger in de lucht.

De man snapt het.

Nu is papa. Die wil twee kaartjes, eentje voor mama en een voor hemzelf. Maar de man kijkt hem niet eens aan en gooit één kaartje in het laatje.

'Two please,' zegt papa. Hij steekt twee vingers op.

De man mompelt en moppert en mekkert. Hij wijst naar de rij die achter papa staat. Ten slotte krijgt papa toch nog een extra kaartje.

'Die meneer kan niet zo goed tellen, hè,' zegt Julia.

'Komt door de bergen,' zegt Ot.

'Dat denk ik ook,' zegt mama. 'Maar wij kunnen wel tellen, al zijn we in de bergen.' Tellend rent ze de traptreden op. Hijgend blijft ze op negentien staan.

Julia en Ot klimmen haar voorbij naar zevenentwintig.

Die slome papa is pas bij drie.

'Schiet eens op, papa!' roept Julia. 'Wij willen taart!'

Boven aan de trap, boven op de berg maakt Julia een toeter van haar handen. 'Zevenennegentig!' roept ze naar beneden. 'Hier zie je de zee!'

'Hier zie je de trap!' hijgt papa.

'Komt door de bergen,' roept Ot.

Slagroomtaart en oorlog

Boven op de berg, naast het terras, staat een oud kanon.

'Is het hier oorlog?' vraagt Julia met haar mond vol slagroomtaart.

Mama neemt een slokje thee. 'Nu niet, vroeger wel.'

'Kán er hier oorlog komen, op dit terras?' vraagt Julia. Ze bestudeert de knalrode kers op haar taart.

'Nee,' zegt papa. 'Nou ja, er is altijd wel ergens oorlog, maar dat is ver weg.'

Ot likt zijn mokkavingers af en blaast met zijn rietje bellen in zijn appelsap. 'Hoe ver weg?'

Papa wijst naar de zee. 'Heel ver weg. Helemaal aan de andere kant van de zee. En dan nog veel verder.'

'En kan de oorlog dan niet hier komen?' vraagt Ot.

'Nee,' zegt Julia, 'want de zee ligt ertussen.'

'O,' zegt Ot, 'hebben ze daarom overal zeeën tussen gelegd?'

Julia haalt haar schouders op en proeft voorzichtig een stukje van de kers. Weet zij veel.

'In de zee zitten haaien,' zegt Ot. Hij veegt zijn vingers af aan het tafelkleed.

'Haaien eten je op, hè? Haaien eten mensen.'

'Sommige haaien,' zegt papa. 'De meeste niet hoor, maar de gevaarlijke haaien zijn echte vleeseters.'

'En die eten je op.'

Papa knikt.

Ot denkt.

'Hoe weten die haaien dan dat er vlees in mensen zit?'

'Dat leren ze van hun haaienmama,' zegt Julia.

'Praten haaien dan?'

Julia knikt. 'In vissentaal. Ze blubben en bluppen.'

Er klinkt muziek.

'Speciaal voor jouw verjaardag!' zegt mama. Ze wijst naar vier mannen in chique pakken die spelend en zingend het terras op wandelen.

'Hoe weten ze dat papa jarig is?' vraagt Julia.

'Papa ziet er verschrikkelijk jarig uit,' zegt mama.

Een van de mannen blijft stilstaan bij hun tafeltje. Hij houdt zijn hoed vol munten onder Ots neus.

Ot kijkt de man vragend aan.

De man knikt vriendelijk.

Ot kijkt in de hoed. Welke munt zal hij kiezen? Hij pakt er de allermooiste en allergrootste uit.

'Oho!' zegt Julia.

De man begint te lachen.

Papa pakt zijn portemonnee en gooit twee mooie grote munten in de hoed.

'Wil jij er geen?' vraagt Ot.

'Nee hoor,' zegt papa, 'ik heb vandaag al meer dan genoeg cadeautjes gehad. Maar taart wil ik nog wel. Ik
ben tenslotte jarig.' Papa pakt drie bordjes met restjes
mokkataart van Ot, een
halve knalrode kers
met slagroom van
Julia en het stukje
ananas met cake-
kruimels van
mama.

Gele kaas

'We zijn er bijna, we zijn er bijna,' zong papa keihard toen ze Nederland weer inreden.

Maar nu staan ze alweer uren in de file. Naast hen, voor hen en achter hen staan auto's, auto's, auto's; bijna allemaal met een caravan. Af en toe kruipen ze een paar meter vooruit. Nu staan ze weer naast die witte auto met de mevrouw die steeds in haar neus peutert. En aan de andere kant staat die rode auto weer, met drie slapende kinderen, een hond en een driewieler achterin.

'Als jullie nou ook eens gingen slapen,' zegt mama. 'Het duurt nog wel even voordat we thuis zijn.'

Maar Julia en Ot zijn klaarwakker. Het is al avond maar nog steeds stikheet in de auto én ze hebben vanmiddag al heel de tijd geslapen; toen ze nog over de snelweg in Duitsland raasden.

Mama zoekt in de koelbox naar de kaasdoos. 'Iemand nog een cracker met kaas?'

'Ik wil met pasta,' zegt Ot.

Mama smeert maar weer eens crackers. Ze heeft toch niks anders te doen.

'Ik moet plassen,' zegt Julia.

'O nee,' kreunt papa.

'Heel erg,' zegt Julia.

'Kan echt niet.' Mama geeft Julia een cracker aan.

Ot duwt zijn neus tegen het glas en kijkt naar de neus-peuterende mevrouw. De mevrouw duwt ook haar neus tegen het glas. Dan peutert ze nog iets uit haar neus en stopt het in haar mond. Trots kijkt ze Ot aan. Ot geeft Julia een por.

'Gadsie!' griezelt Julia.

'Wat is er?' vraagt papa.

Maar Ot moet zo hard lachen dat het niet lukt om iets te zeggen. Hij wijst naar de witte auto. Maar in de wit-te auto is niks bijzonders te zien. Gewoon een mevrouw achter het stuur.

'Auw, auw, niet lachen, ik moet plassen!' Julia houdt haar buik vast. 'Kun je naar een wc rijden, papa?'

'Dat kan echt niet Julia. We staan hartstikke vast tussen de auto's.'

'Ik kan het echt niet ophouden hoor!'

Mama kijkt in de autospiegel naar Julia. 'Plas maar in je broek!'

'Ja, neehee!'

'Eh... er zit weinig anders op.' Mama kijkt om zich

heen. Onder een berg spullen trekt ze een plastic tas vandaan. 'Plas maar in de tas.'

'Kan ik niet,' zegt Julia bijna huilend. 'Ik hou het echt niet meer, mama!'

'Met je billen uit het raam,' probeert papa.

'Nouhou, pahap!'

Mama rommelt weer in tassen. 'Hier,' zegt ze. Ze doet de kaas in de plastic tas en geeft de kaasdoos aan Julia.

'Plas maar in de kaasdoos.'

Julia draait en duwt en wringt en trekt. Erg lastig om je broek naar beneden te krijgen in een propvolle auto. En dat dan zónder met je blote billen voor het raam te komen.

Een van de drie kinderen in de rode auto naast hen is ondertussen wakker geworden en bekijkt Julia lachend. Julia duwt een kussen voor het raampje. Zo, gordijntje dicht! Ze plast de kaasdoos zo vol dat-ie bijna overloopt. Voorzichtig geeft ze de doos aan mama. Ze knoeit een paar druppeltjes.

Nou zit mama met een volle kaasdoos. Wat moet ze daar nou mee? Mama denkt niet lang na. Ze opent haar deur en kiept de plas op de snelweg.

De mevrouw in de witte auto kijkt mama vragend aan. Ze lacht en trekt een vies gezicht.

Mama haalt haar schouders op.

'Die mevrouw lacht ons uit,' zegt Julia.

Mama kan er niet mee zitten, ze zit al met de lege kaasdoos in haar handen. 'Ligt daar nog ergens een plastic tas?' vraagt ze.

Er ligt er geen meer. Mama veegt haar handen af aan een nat doekje voor in de auto, zo'n stinkdoekje om je op te frissen. Dan haalt ze de kaas uit de plastic tas en doet de vieze kaasdoos erin. Nou zit ze met die kaas in haar handen.

'Hoe lang nog?' vraagt Ot voor de zoveelste keer.

'Nog lang,' zucht mama, 'ga maar slapen.'

Maar Ot wil niet slapen. Dat heeft hij al gedaan. 'Hebben we nog iets lekkers?' vraagt hij.

'Kaas,' zegt mama.

'Uit de kaasdoos,' zegt papa.

'Gadsie!' zegt Julia.

Muggenbult

Vroeg in de avond komen ze weer thuis van vakantie. Mama loopt de tuin in. Ze begroet alle bloemen die ze een paar weken gemist heeft. Papa duikt op de post af die hij een paar weken gemist heeft en Julia en Ot rennen meteen naar Pien.

Ot kan niet slapen. Het is weer even wennen aan zijn eigen bed. Het wiebelt niet zo als het luchtbed in de tent. Op zijn arm zit een muggenbult. Die jeukt. Ot krabt maar het helpt niet. Hij staat op en loopt naar beneden. Overal liggen stapels was.

'Waar is mama?' vraagt Ot.

'In de moestuin,' zegt papa. Hij sjouwt door het huis met vakantiespullen.

'Ik heb een muggenbult.'

'Moet je krabben,' zegt papa. 'En nou weer naar boven, Ot. Je moet slapen. Mama en ik hebben het heel druk met alle spullen opruimen.'

Ot gaat weer naar boven. Moet je krabben! Daar was Ot zelf ook al opgekomen.

Misschien heeft Julia een beter plan. Hij gaat de trap op en loopt naar Julia's kamer. Ze ligt te lezen in bed.

'Julia, ik heb een muggenbult,' zegt Ot.

'Moet je krabben,' zegt Julia. Ze kijkt niet eens op van haar boek.

Ot loopt naar Julia's bed. Hij laat zijn muggenbult zien.

'Dat helpt niet.'

Julia legt haar boek neer. Ze ziet de flinke muggenbult op Ots arm. 'Je moet er met je nagel een kruis in zetten.'

'Een kruis?'

Julia knikt. 'Doen we op school altijd. Dat moet van juf Mieke. Net als het kruis van Jezus. Jezus is goed tegen de jeuk.' Julia pakt haar boek weer op en leest verder.

Ot gaat terug naar zijn kamer. Hij drukt met zijn nagel een diep kruis in de muggenbult, maar het blijft jeuken.

Als zelfs Jezus niet helpt moet hij toch echt naar mama. Weer loopt Ot de trap af. Hij hoort papa op de stoep met de buurvrouw praten. Ot loopt de moestuin in. Daar vindt hij mama in haar glazen huisje. Ze geeft de verdroogde tomatenplanten water.

'Wat doe jij hier?' vraagt mama.

'Ik heb een muggenbult,' zegt Ot. 'Ik kan niet slapen.'

'Laat eens zien,' zegt mama.

'Ik zal er wat prik-weg op doen,' zegt mama. Ze lopen

naar de keuken. Voorzichtig smeert mama wat zalf op de muggenbult.

'Het jeukt nog steeds. Heb je geen pilletje?'

'Nee,' zegt mama.

'Die kun jij toch gaan halen bij de apotheek.'

Mama schudt haar hoofd. 'Pilletjes zijn alleen voor als je heel erge pijn hebt.'

'Maar het jeukt heel erg hoor,' zegt Ot. Hij krabt weer aan zijn muggenbult.

'Tja,' zegt mama. 'Als het heel erg is, dan moeten we maar naar de dokter.'

'Geeft de dokter dan een prik?' vraagt Ot bedenkelijk.

'Nou eh...' zegt mama.

'Misschien kunnen we beter naar het ziekenhuis gaan,' stelt Ot voor.

'Het ziekenhuis is meer voor als je echt heel ziek bent,' zegt mama. 'Of voor als je je been gebroken hebt. Dan gaat er gips omheen.'

'Kunnen ze mijn muggenbult dan niet in het gips doen?' vraagt Ot.

Mama begint hard lachen. Ot kijkt mama boos aan.

'Ik weet wat,' zegt mama, 'ik geef je een toverdrankje.'

'Ik wil liever gips,' zegt Ot.

Maar mama loopt naar de koelkast, vult een glas met

appelsap, doet er een ijsklontje in en zet het voor Ot op tafel.

Met een rietje zwaait ze boven het glas en mompelt een toverspreuk:

'Dertig druppels van dit drankje
en de jeuk die kan wel janken!
Jammer jeuk, lekker pech.
Weg, weg, weg!'

Ot neemt een slokje.
'Helpt het al?' vraagt mama.
'Een beetje,' zegt Ot. Het helpt niet echt. Eigenlijk écht níet! Mama is niet erg goed in toverdrankjes. Of haar spreuken deugen niet.
'Let op! Nou komt het.' Mama pakt het betoverde ijs-klontje uit het glas en houdt dat op de muggenbult van Ot.
Verdwijnt de jeuk?
De jeuk verdwijnt.
Dát had Ot nou nooit gedacht. Die mama! Wel knap!

Racebaan

Papa en mama willen niet gestoord worden. Ze hebben het druk met elkaar.

Komt goed uit, Ot en Polle hebben het ook druk met elkaar.

'Zullen we verstoppertje spelen?' vraagt Ot. 'Ik ben hem.'

Polle rent weg, maar niet om zich te verstoppen. Hij rent naar de zandbak.

'Goed dan.' Ot loopt achter Polle aan. 'Maar dan doen we straks verstoppertje, hoor Polle!'

Tien bergen zand hebben ze nodig. Net als de racebaan op tv. En als die klaar zijn moeten alle auto's eroverheen racen.

Ot bekijkt de zandbak eens goed. Ze hebben echt te weinig ruimte. Er passen maar drie bergen in de zandbak en er moeten er nog zeven bij.

'Op het gras,' zegt Polle. Hij gooit meteen een handvol zand op het gras.

Maar mama wil geen zandbakzand in het gras. Ot kijkt

om zich heen. Op het paadje naar de bijkeuken passen
een hoop bergen. Dat moeten ze dan maar doen, want
voor het racecircuit hebben ze écht tien bergen nodig.
Ot haalt zijn kruiwagen uit de schuur en schept hem
vol zand. Polle helpt mee.
Als hij vol is stort Ot de kruiwagen leeg op het pad.

Polle glundert en springt boven op de berg.
'Niet doen, Polle!' zegt Ot.
'Wel,' zegt Polle.
'Nee, nou is de berg plat.' Ot zet de berg weer in elkaar.
Hij is niet zo hoog meer, maar het kan net. Een platte

berg is ook een berg. En zo hoog als de bergen op vakantie hoeft nou ook weer niet.

Opnieuw scheppen ze de kruiwagen vol zand en storten een volgende berg op het pad. Zo gaan ze door tot er negen bergen klaar zijn. De negende ligt net voor de achterdeur.

'We moeten er nog één,' zegt Ot.

Polle begint alweer te scheppen.

Maar het pad ligt vol.

In de bijkeuken kán ook een berg. Maar binnen mogen geen bergen. Dat weet Ot zeker. Hoe moet dat nu?

Polle schept gewoon door. 'Vol,' roept hij.

Ot moet komen helpen, want de kruiwagen is te zwaar voor Polle.

Wat moet, dat moet. Voorzichtig stuurt Ot de kruiwagen tussen de bergen door naar de bijkeuken. Voor de deur laat hij hem staan. Er is écht geen plaats voor nog een berg.

Polle staat al klaar met zijn handen vol racewagens.

'Daar,' zegt Polle. Hij wijst naar de mat in de bijkeuken.

De zwarte mat is een mooie plek. Och ja, en het is tenslotte maar de mat. Toch? Ot haalt zijn schouders op.

Polle heeft gelijk. Door het keukenraam kijkt Ot naar binnen. 'Mama,' roept hij. 'Papa?'

Hij wacht even. Geen antwoord. Geen papa. Geen mama.

Dan kiept hij de kruiwagen leeg. Op de mat. Maar de mat is niet groot genoeg. Het zand glijdt verder de bijkeuken in, onder de wasmachine en tussen de schoenen onder de kapstok.

Polle pakt een Citroën C3 uit zijn broekzak en zet hem boven op de berg. 'Reddie, go!' zegt Polle en hij racet met zijn auto de binnenberg af, op naar de volgende berg.

Ot kijkt nog eens naar al dat zand.

Dan kijkt hij de keuken weer in. Nee. Geen papa. Geen mama. Goed. Hij ruimt dat zand straks wel op. Polle is alweer een berg verder. Dat gaat zomaar niet. Ot moet natuurlijk wel winnen. Straks wint Polle! En dat kan niet.

Hij grist een raceauto van de grond en laat hem van de berg afrijden. Racen!

Precies tegelijk komen de auto's van Ot en Polle bij de finish. Hijgend rusten ze uit op de rand van de zandbak.

'Ot!!! Wel pótver…' galmt mama's boze stem over alle bergen heen.

Oei!

Ot trekt Polle mee achter het schuurtje. 'Nú doen we verstoppertje! Mama is hem.'

Heertje

'Het is een rot, rot en nog eens rotdag. En ook nog eens klote.' Ot komt huilend binnen.

'Oh,' zegt Julia, 'dat mag je niet zeggen.'

'Nee,' zegt mama, 'dan moet het wel héél erg zijn.'

'Eerst wilde ik een toren bouwen,' huilt Ot, 'tot het plafond en die viel elke keer om. Toen ging ik naar buiten om met Julia te spelen maar Julia ging net naar binnen. En toen wilde ik op de schommel maar die was helemaal kletsnat. En ik heb mijn hoofd gebunkt.'

'Wat heb je?' vraagt mama.

'Mijn hoofd gebunkt!'

'Wat is bunken?'

'Stoten, maar dan geen stoten maar bunken.'

'Dat klinkt nog veel erger dan stoten,' zeg mama. 'Kom eens even bij mij.'

Ot kruipt op schoot en begint nog veel harder te snikken. Julia schenkt een glaasje appelsap in voor Ot. Ze aait Ot over zijn gebunkte hoofd.

'Zullen we er dan maar eens een leuke dag van gaan maken?' zegt mama.

'Wat dan?'

'Naar de camping!' zegt Julia. 'Met die watervallen.'

'Zou niet gek zijn,' zegt mama, 'maar dat is veel te ver. Dat lukt nooit op één dag met al die files.'

'O,' zegt Julia.

'Ik weet iets. Drink je sap maar op, Ot. Ik moet even bellen.' Mama zet Ot op zijn stoel en loopt de gang in met de telefoon.

'Ik denk dat mama naar oma met het groene hoedje belt. Of ze thuis is,' zegt Julia. 'Of... naar het zwembad, of het open is.' Ze horen mama lachen in de gang. 'Of nee, ze belt natuurlijk naar papa, of hij eerder naar huis komt en dan gaan we iets leuks doen!'

Ot haalt zijn schouders op. Hij veegt zijn tranen en zijn snot aan zijn mouw.

Daar is mama weer. 'Kom, we gaan.'

'Waarheen?'

Mama kijkt geheimzinnig. 'Zoek maar een doos in de schuur.'

Ot en Julia snappen er niets van maar halen een doos.

'Prima!' Mama pakt een halve paprika uit de koelkast en legt die in de doos.

Wat is er nou leuk aan een doos met een halve paprika erin?

Mama parkeert de auto voor Emma's huis.
'Mag Emma ook mee?' vraagt Julia.
'Wie weet,' zegt mama. 'Stap maar uit.'
Julia is al weg. 'Kom Ot, dan kun je de babycavia's zien.'
De cavia's schieten weg onder het hok en in een holle
boomstronk. Er steekt nog net een plukje zwart pluis-
haar onder het hok uit.
'Lief hè,' zegt Julia. Ze knielt voor de ren neer.
Emma tilt de boomstronk op en pakt een kleine witte
borstelharige cavia met een zwart oortje beet.
'Die is het,' zegt Emma. Ze zet hem bij Ot op schoot.

'Hij mag geen stro, maar wel veel hooi. Elke dag schoon water en voer met vitaminen! En wortel en paprika vindt hij ook lekker. En… hij heet Heertje.'

Julia kriebelt Heertje achter zijn oren.

Mama zet de doos met de halve paprika bij Julia en Ot.

'Zet Heertje maar in de doos. Hij komt bij ons wonen.'

'Relaxed!' roept Julia.

'Yes!' roept Ot.

Ze aaien en aaien en knuffelen Heertje alsof hij hun liefste knuffel is.

'Drie meisjes,' zegt Julia. 'Ik, mama en Pien. En drie jongens: Ot, papa en Heertje. Nou is het eerlijk.'

'En Polle dan?' vraagt Ot.

'O ja,' zegt Julia. 'Op woensdag hebben we drie meisjes en víer jongens. Dan moet er éigenlijk nóg een meisje bij, een meisjescavia.'

'O nee!' zegt mama. 'Niet nóg een cavia.'

'Een hond dan,' lacht Julia.

'Of een aap,' zegt Ot. 'Daar heb je ook meisjes van.'